知識製造業の新時代

The Dawn of "Knowledge Manufacturing"

Mind Shift for Business in New Era

丸 幸弘
株式会社リバネス
代表取締役 グループCEO

リバネス出版

はじめに

「なんとかして変わらなければ」

「このままでは自分たちに未来はない」

日本中の中小企業が、そうした危機感を抱いています。製造業を中心にした日本経済がジャパンアズナンバーワンと世界で賞賛された過去はいまや完全な「昔話」であり、頂点から転落したバブル崩壊すら30年前の出来事です。そのショックから立ち直るきっかけを掴めないまま、日本は「失われた○○年」と呼ばれる時期を10年、20年、30年と過ごし、現在ではそれが当たり前の状態となってしまっています。


その一方で、世の中には新しい風が吹き始めています。例えばSDGs（Sustainable Development Goals：持続可能な開発目標）は、詳細な内容はわからずとも、SDGsという単語自体については誰もが知っています。同時に、SDGsが提唱するサステナブルや持続可能性といった概念も、いつの間にか社会に浸透しています。ダイバーシティーやインクルージョンといった概念についても同様です。10年前を振り返ってみると、全くそんな状況ではなかったはずです。

1978年生まれの私は現在45歳ですが、少年時代を過ごした20世紀の世界では、目指すべきものは「成長」でした。その代表的な指標がGDPであり、GDP成長率です。Gross Domestic Product、つまり「どれだけ生産したか」「どれだけ儲けたか」が成長であり、豊かさであり、さらにいえば幸せである、という概念です。これをDomesticという単位で、つまり国ごとに比較することが長らく豊かさの指標となってきました。

生産量が豊かさであるというのは、裏を返せば「どれだけ消費できるか」が豊かさである、ということでもあります。シンプルに考えれば、消費が旺盛であればあるほど、需要と供給の関係で生産は伸びることになるからです。いわゆる「お金持ち」が成功の象徴とされる所以です。そして、GDPにおいては生産の量だけが指標であり、その内容が問われることはありません。

これに対してSDGsは、サステナブルであるために開発をし続けることが価値であり目標である、と主張します。ここに量を求める概念はありません。成長に重きが置かれることもありません。生産ではなく開発。成長ではなく持続可能かどうか。個人的には、これがSDGsが発するメッセージの本質だと捉えています。

2000年以降に成人を迎えた世代のことを、ミレニアル世代と呼びます。そして後に続くのがZ世代です。これらの世代の大部分にとっては、「成長ではなく持続可能かどうか」という価値観はすんなりと受け入れることができます。Z世代にとっては、もはやその価値観が自然なものとなっています。

2025年には、こうした価値観をもつミレニアル世代以降の人口が、日本の労働者人口（生産年齢人口）の過半数を超えます。おそらく、これが日本人の価値観が大きく変わる転換点となります。そして、その影響が実際に社会に波及し始める2026年頃に、「時代が変わった」という認識が明確になってくるはずです。

ちなみに世界全体では、2025年の時点で労働者人口の75%以上をミレニアル世代以降が占めることになります。人々の価値観は、もう元には戻りません。

日本が復活するためには、こうした変化をしっかりと理解して、時代の波をうまく捉えていく必要があります。そのための最大の鍵となるのが、考え方を変えることです。

では、どのような概念へと考え方を変えていくべきなのか。それこそが、「知識製造業」です。私たち株式会社リバネスは、この概念を次のように定義しています。

知識と知識の組み合わせによって新たな知識をつくり出すこと。そして新たな知識によって未解決の課題を解決すること。

これからの日本は、全ての産業がこの知識製造業へとシフトすべきだと私は考えています。知識製造業によって世界に山積する未解決の課題を解決し、再び世界にとって不可欠な存在になるべきです。そしてその主役となるのが、日本の企業の99・7％を占める中小企業です。このアイデアをみなさんと共有し、ともに知識製造業の新時代をつくっていくことこそが、本書の目的です。

誰もが取り組むことができる知識製造業

少し自己紹介をさせていただくと、私は2002年に、15人の仲間とともに株式会社リバネスを立ち上げました。リバネスという会社の詳細については、この後に続く各章の中で随時説明をしていくことになりますが、ひとまず特長を挙げるとすれば以下の5つになります。

・2002年に理工系の大学院生を中心に設立されたベンチャー企業で、現在も全社員が博士号もしくは修士号を持つ研究者集団である
・「科学技術の発展と地球貢献を実現する」というビジョンを創業時から掲げている
・教育応援、人材応援、研究応援、創業応援と名付けた4つの主幹プロジェクトを事業としている
・各プロジェクトを通じて、学校教育の現場、若手研究者、各種の研究機関、ベンチャー企業、町工場、中小企業、大企業など、極めて幅広い知識ネットワークを構築している
・シンガポール、マレーシア、フィリピン、イギリス、アメリカに子会社があり、グローバルでも同様の事業を展開している

着目いただきたいのは、リバネスの事業領域が通常では考えられないほど広範囲に及んでいるということです（コンサルティング会社であれば真っ先に「事業の選択と集

中を行ってリソースを集中させるべき」と指摘するでしょう）。

そしてその結果として、やはり通常では考えられないほど広範囲なネットワークを構築できています。しかも、同様のネットワークを日本だけではなく、グローバルでも展開しています。さらに、２００２年の設立時から20年間にわたって、一貫してブレずに活動を続けてきたことによる知識の蓄積があります。


また私はリバネスだけでなく、これまで70社以上のベンチャーの創業にも携わってきました。その記念すべき第一号は、２００５年８月９日設立の株式会社ユーグレナです。現在は東証プライム市場で時価総額１０００億円以上の企業に成長したユーグレナとのチャレンジは、私にとってもリバネスにとっても、本当に大きな経験となっています。

そんな経緯もあり、現在の私には主に３つの肩書きがあります。一つめが株式会社リバネスの代表取締役グループＣＥＯ。二つめは前述の株式会社ユーグレナで現在務めている専門役員ＣＲＯ（最高研究開発責任者）。そして三つめが２０１４年に株式会社ユーグレナ、株式会社リバネス、ＳＭＢＣ日興証券株式会社の３社で立ち上げたリアルテックファンドの運営会社であるリアルテックホールディングス株式会社の代表取締役です。

ただ基本的には、常に「株式会社リバネス代表取締役グループCEOの丸幸弘」として通しています。ユーグレナもリアルテックホールディングスも、そして70社以上のベンチャーも、全ては「科学技術の発展と地球貢献を実現する」というリバネスのビジョンが原点になっているからです。

これら全ての経験をふまえた上で、日本を復活させる戦略として私がたどり着いた答えが、先ほどの「日本の全ての産業は知識製造業へとシフトすべき」というものです。具体的な内容についてはこの後の本章でしっかりと説明していきますが、まず強調しておきたいのは、知識製造業は誰もが取り組むことができるものだということです。

大企業である必要はありません。最先端のテクノロジーをもっている必要もありません。あるいは製造業である必要すらありません。知識製造業がつくりだすものは、あくまで「新たな知識」だからです。製造業の方であればおわかりだと思いますが、ものづくりは機械設備さえあればできるというものではありません。そこに知識をもつ人がいるからこそ、ものづくりは実現するのです。

ですから、例えば町のラーメン屋でも知識製造業に取り組むことは可能です。「味には自信がある」「テキパキとした接客もお手のもの」「しかし地域の人口は減少していて、将来の見通しは明るくない」。日本のどこかの町に、そんなラーメン屋があったとしましょう。

一方で世界に目を向けてみると、急速な発展を遂げている新興国では、食生活の変化によって肥満が深刻な問題となっています。それにともなって糖尿病患者も急増しています。例えば東南アジアのマレーシアでは、成人における糖尿病患者の割合が16％と世界平均の約2倍であり、南アジアのパキスタンでは過去10年で糖尿病患者が5倍以上になっています。南アジア全域では、今後20年でなんと2・2億人が糖尿病に罹患すると推定されています。

では、人口減に悩む町のラーメン屋が、例えば小麦ではなくこんにゃくを原料とするヘルシーな麺を開発し、テキパキとしたオペレーションを機械化・自動化した上で、その自慢の味を南アジアに事業展開できたとしたらどうでしょうか。町のラーメン屋が、一気にグローバルなフードチェーンへと変貌することになるのではないでしょうか。

もちろんこれは、店の大将が一人で実現できることではありません。しかし、日本には全国に大学があり、最先端のフードテックの研究者も数多く在籍しています。オペレーションの機械化や自動化は、それこそ日本中の町工場が得意とするところです。味の相談なら、現地から留学や仕事などで来日している人たちにモニターになってもらえばいいでしょう。そうやって知識を組み合わせていけば、町のラーメン屋でも、世界の課題を解決できる新たな知識をつくりだすことができるのです。

「この課題を解決したい」という声を上げることで、誰もが課題解決に取り組むことができる。どのような知識であっても、他の知識と組み合わせることによって、世界中の課題を解決することができる。これこそが知識製造業の概念です。

かつての日本の輝きを未来につなぐ

私には、知識製造業を通じて成し遂げたいことが3つあります。一つめは、リバネスのビジョンである「科学技術の発展と地球貢献を実現する」を達成すること。二つめは、知識製造業によって日本を復活させること。そして三つめが、知識製造業へのシフトによって、これまでの日本に蓄積されてきた知識を未来へとつなぐことです。

こうした意識の根底には、おそらく世代的な背景があります。前述したように、私は1978年生まれです。リバネスは学生ベンチャーとして始まった会社ですから、当

―― リバネス役員陣はブリッジ世代 ――

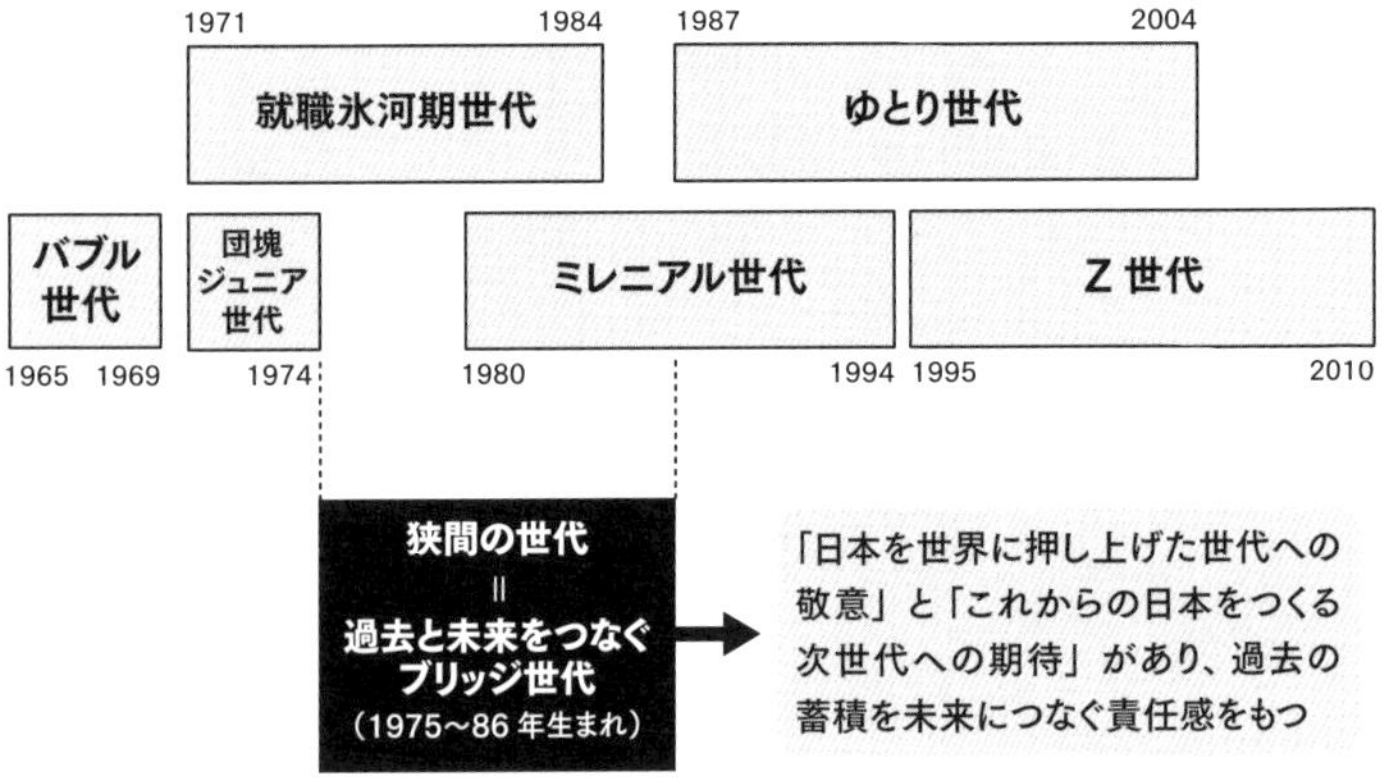

然ながら創業メンバーも同年代です。現在のリバネスの役員には創業メンバー以外の人間も加わっていますが、全員が１９７５年から１９８６年の間に生まれた世代です。

１９７５年～１９８６年生まれというのは、日本における世代分類からすると、完全に「狭間」の位置にあたります。自分たちの上には人口として大きなボリュームをもつ団塊ジュニア世代がいて、下には従来とは異なる価値観をもつゆとり世代がいる。青年時代が就職氷河期に重なったという特徴はありますが、いわば昭和から平成への移行期にあたる世代です。

しかし、狭間の世代だからこそ、私た

ちは旧来の価値観と新しい価値観の両方を理解することができます。自分たちの両親や祖父母がつくった昭和の時代に対する敬意がありつつ、これからの時代を担う新しい世代への期待もあります。「かつての日本のままでは未来がない」という危機感と、「かつての日本の良さを引き継がなければ未来はつくれない」という意識の両方をもっているのが私たちの世代です。そしてここから、「自分たちが日本の過去と未来をつなげなければ」という責任感が生まれてきます。少なくともリバネスの役員陣は、全員がその使命を強く感じています。

詳しくは第二章で説明することになりますが、リバネスは自分たちのことをサイエンスブリッジコミュニケーター®と呼んでいます。私たちが知識製造業を通じて実現したいのも、「かつての日本の本質的な価値を未来にブリッジする」ということにほかなりません。

本書には、そのために必要なエッセンスを凝縮したつもりです。第一章から第三章では、知識製造業へのシフトに不可欠な「共生」「ブリッジ」「研究者的思考」という重要な考え方について一つずつ論じています。

第四章から第六章では、それらの考え方を持った上で、これからの企業が起こしていくべきアクションについて説明しています。各章でキーワードとなっているのは、それぞれ「ディープイシュー」「4D思考」「インバウンドグローバライゼーション」です。

そして第七章は、知識製造業を実現するための組織づくりに関する内容となっています。これからの企業はどのような組織を構築していくべきなのか。そして企業のトップは、そうした組織をつくるためにどのような言葉を発信していくべきなのか。この章は、企業の事業承継を考える上でも役に立つ内容になっているはずです。

日本企業の99・7%を占める中小企業が知識製造業へと転換することができれば、日本は必ず復活します。そしてその先には、世界の課題が次々に解決され、豊かで明るい未来が広がっていくはずです。私は、そんな新しい時代をみなさんと一緒につくっていきたいと思っています。

少々前置きが長くなってしまいました。ここから先は、「知識製造業の新時代」へと足を踏み出すための概念を解説する本章へと場所を移しましょう。最後の第七章を読み終えたときに「ここが新たな時代の入口か」と実感してもらえるように、しっかりと伴走を務めていきたいと思います。

CONTENTS

御社・弊社ではなく仲間の関係に／仲間になるには共感から始めなければ／20年間の増収を生んだ子どもからの学び／駆け引きではなく、課題解決のための交渉

第三章 イノベーションの種を生む研究者の考え方

イノベーションとは「ちりも積もれば」である／世界初を生み出す研究者のルール／小さく、細かく、多く。できるだけ早く試してみる／あなたのQuestionはなんですか／必ず一次情報を取りにいく／一般的な話ではなく、個人的な話をしよう／ネットやAIに新しいアイデアは落ちていない／新たな発見は常に否定から生まれる／知識の本当の価値は自分だけではわからない

CASE 2 「腸内デザイン推進企業」メタジェンはいかに生まれたか
（メタジェン・福田真嗣氏×リバネス・井上浄）

リバネスは生命科学的な組織をつくってきた／ＰＤＣＡはイノベーションとの相性が悪すぎる／変化の時代に最適な「個のネットワーク組織」／蓄積・開示・分析・統合の「知識」共有システム／個のネットワーク組織は全ての企業に導入可能／リバネス人15か条が表現する「個」と「チーム」

おわりに ―― 313

第一章

逆流の時代、
競争から共生へ

地球はレゴのようなもの

あなたが読み進めているこの文章は、紙の書籍に印刷されたものでしょうか。それともスマートフォンやタブレットの液晶画面に表示されたものでしょうか。どちらのツールで読んでいるにせよ、手元にあるのは「人工物」であるはずです。

しかし、本もスマホも、もとは「自然物」です。紙の原料はパルプであり、パルプの原料は木材です。スマホの外装は金属やガラス、中身は半導体やバッテリーですが、いずれも原料にまでさかのぼれば鉱石に行き着くことになります。

スマホを駆動する電力もまた、もとは自然物です。火力発電によってつくりだされた電力であれば、その原料は化石燃料です。化石燃料とは読んで字の如く、もとは動植物の遺骸だったものが膨大な時間をかけて化石となり、そこからさらに気の遠くなるような時間をかけて液状に変化したものを活用しています。原子力発電の場合は、ウラン鉱石が原料です。

当たり前といえば当たり前なのですが、この世界に自然物ではないものは存在しません。その見た目がどれほどもとの状態からかけ離れているとしても、世の中に存在しているありとあらゆるものは、もともと存在していた物質が変化したり、組み合わさったりしてできています。

つまり地球規模で考えれば、そして数万年、数百万年、数千万年という時間軸で考えれば、あらゆる事象は地球という空間における物質循環プロセスの一つの瞬間を切り取ったものにすぎない、ということになります。

都市に高層ビルが建ち並ぶ現代の地球も、侍がちょんまげを結っていた時代の地球も、狩猟から農耕へと人類が移行した時代の地球も、恐竜が世界を支配していた1億年前の地球も、地球全体で考えれば質量にほぼ変化はありません。変化があるとすれば、恐竜絶滅のきっかけとなったといわれている巨大隕石も含めて、地球の外部から物質が到来することが時折あるくらいでしょう。

物質循環のイメージをわかりやすくするためにあえて単純な言い方をすれば、「地球はピースの数が決まっているレゴのようなもの」と表現することができます。誰もが一度は遊んだことがあると思いますが、レゴはそれぞれのピースをどのように組み合わせるかによって、ありとあらゆる形をつくることができます。

ただし、ピースの数には限りがあります。ある場所で赤いピースを多く使ってしまうと、他の場所で使える数は減ってしまいます。有限でありながら無限。無限のようでいて有限。それがレゴの面白さです。

地球上の物質循環も、基本的には同じ構造です。「有限である」という前提を忘れて、赤いピースが無限に存在するかのように扱えば、どこかで無理が生じてしまいます。

昨今では、気候変動の問題が人類にとって最大の危機となっています。災害という直接的な被害だけでなく、天候の変化が動植物に与える多大な影響によって、食糧危機も目前に迫っています。

都市のあり方、生活のあり方、そして生命の存続に関わるこの問題も、根本的なロジックはレゴと変わりません。

産業革命以降、先進国では工業が急速に発展しました。かつては地中に眠っていた化石燃料と、同じく地下資源である鉱石を使って、爆発的な生産活動を続けてきたのが過去２００年の人類の歩みです。手作業から機械設備への転換は、人類に劇的な豊かさをもたらし、世界の人口は二次元のグラフを垂直に駆け上るような軌跡を描き続けています。

しかし、まさにその豊かさをつくりだすための人類の生産活動は、自然の循環スピードを大きく上回るかたちで進んでいます。数百万年から数億年をかけて蓄積された化石燃料を、「近い将来に枯渇してしまう」と危惧されるほどのペースで消費しているのですから、自然のバランスが崩れるのも当然です。レゴの赤いピースは、どれほど大量にあるように見えたとしてもその数には限りがあるのです。

では、私たちはこれからどうしていくべきでしょうか。産業界は悪者である、石油の使用はすぐに止めるべきだ、石油を原料とするプラスチックや化学繊維も使うべきではない、人間は自然の姿に帰るべきだ……。そうした運動が世界中で勢いを増しています。その主義主張は、確かに一理あります。

自然を壊してはいけない。自然の多様性を守らなければならない。もちろんその通りです。しかし同時に、サイエンスとテクノロジーが成し遂げた人類の成果を無責任に手放すわけにもいきません。それは現実的でも、合理的でもないからです。

あらゆるものごとには、順番があります。かつての人類は薪を燃やすことでしか火を使えませんでした。しかし、石炭によってエネルギー効率が飛躍的に向上し、その後、より利便性の高い石油がエネルギーの主流になりました。こうした経緯で辿り着いたのが現在の世界の姿です。
そして、化石燃料のデメリットを発見し、気候変動に与える影響が甚大であることを明らかにしたのも、やはりサイエンスとテクノロジーの力です。したがって、われわれが取り組むべきなのは、決してサイエンスとテクノロジーを手放すことではありません。むしろサイエンスとテクノロジーをさらに発展させることによって、目の前に立ちはだかる課題を解決し、より良い世界をつくりだしていくことであるはずです。

例えば、化学繊維をこれからも大量につくり続けるのは、確かに不合理かもしれません。しかし、既存の化学繊維を全て回収して、そこからもう一度服をつくるというサイクルが可能だとしたらどうでしょうか。つまり、服から服をつくり続けるサイクルです。

これが実現すれば、化学繊維どころか、土地を耕して天然繊維を新たにつくる必要すらなくなります。悪者扱いされていた化学繊維が、テクノロジーの力によってむしろサーキュラーエコノミーの主役になるわけです。この「ケミカルリサイクル」の概念を私に教えてくれたのは、株式会社ＪＥＰＬＡＮの創業者で取締役執行役員会長の岩元美智彦さんです。現在、同社の衣料品回収プロジェクト「ＢＲＩＮＧ」は、日本中

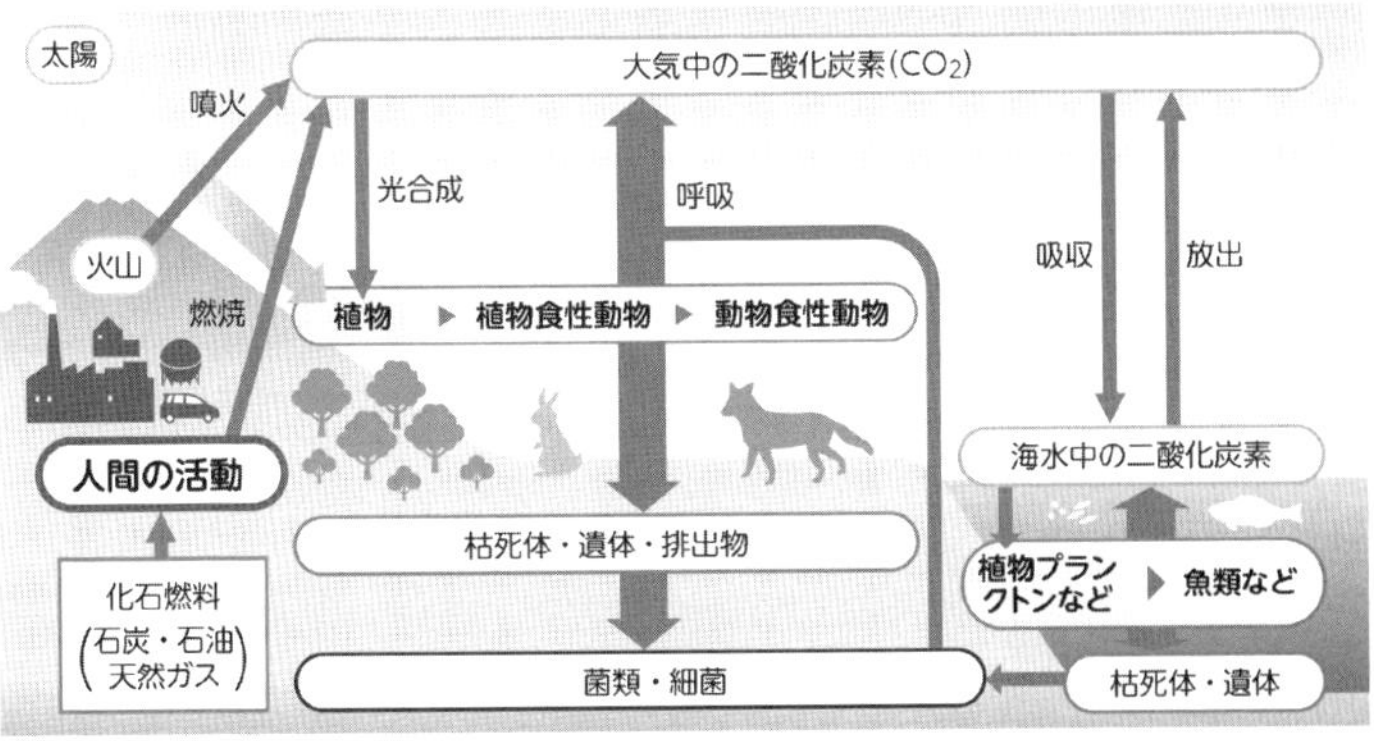

地球上では、あらゆる物質が循環している

のアパレル店で展開されています。

このように、課題の根本をひっくり返すことができるのが、サイエンスとテクノロジーの真骨頂です。

つまり、人間の利益だけを優先するのではなく、逆に自然の保護だけに焦点を当てるのでもなく、**人間と自然の「共生」を実現させる**こと。そのために、人間のあり方と自然のあり方をうまく「調和」させること。現在の人類に求められているのは、この共生と調和の精神なのではないかと思います。そしてこの精神をベースにすることで、**人間のあらゆる生産活動は「地球貢献」と呼べるものになる**はずです。

実はこれこそが、私がグループCEOを務めているリバネスが、20年前の創業時からずっと考え続けてきたことなのです。

地球貢献型へのシフトは避けられない

地球貢献がこれからの時代の潮流であることはおわかりいただけたと思います。では、その地球貢献と日々のビジネスは、具体的にどのようなかたちで結びついていくのでしょうか。

普通のビジネス書であれば、ここから先は「こうすれば大丈夫」「ここさえ押さえておけばうまくいく」といったノウハウが並ぶことになるはずです。しかし、地球貢献型へのシフトは、そういった類の小さな話ではありません。

結論から言ってしまえば、これは**ビジネスの原理が逆流する**ほど大きな変化です。しかも、あらゆるビジネスが否応なくこの逆流に巻き込まれることになると私は考えています。

そもそもの出発点が「従来の人類のやり方を続けていては地球がもたない」ということにあるわけですから、これまでの常識がひっくり返るのは当たり前といえば当たり前なのですが、それにしてもこの変化に対応するのはかなりのチャレンジになりそうです。ともあれ、まずは、その難しさの理由を一つずつ追っていきましょう。

一つめのハードルは「持続可能性」という条件です。あるビジネスを持続可能な状態にするためには、ロングスパンで考える視点が必要になります。しかも、これはただのロングスパンではありません。地球の資源は有限であり、前述したレゴの比喩を繰り返せば「使えるピースには限りがある」という前提のもとでの話です。

したがって、これからのビジネスでは「使い捨て」的なアプローチは使えなくなります。循環型のビジネスや、サーキュラーな仕組み。こうした概念を組み込むことが必須の条件となります。……と、言葉でいうのは簡単です。しかし、実際に業務に落とし込むのは至難の業になるはずです。

なにしろ「つくりっぱなし」ではものごとは循環しません。循環型のビジネスを実現するには、「つくる」だけでなく「再利用する」プロセスが必要です。「つくる」ことに専念するだけでも大変だったところに、新たに「再利用する」というプロセスを開発する必要があるのです。これだけでも、単純に考えてハードルの高さは2倍です。

しかも「つくる」ことに関しては過去の蓄積が使えますが、「再利用する」に関してはほとんどの企業が初めて取り組むことになります。その方法を自社で開発するにしろ、他社と組んで開発するにしろ、そこに大きな困難が伴うことは容易に想像がつきます。

二つめのハードルは、ずばり「地球貢献」です。従来のビジネスは、「人のため」になっていれば成立しました。顧客のニーズに応える。ユーザーの課題を解決する。地域社会に貢献する。こうした観点は、もちろんこれからも重要であり続けます。しかし、「それだけでは不十分」という厳しい事実を突きつけてくるのが地球貢献の考え方です。

では、地球貢献を実現するためには何が必要なのでしょうか。それは、サイエンスの視点です。自らのビジネスが地球に対してどのような影響をもたらすのか。逆に、地球の状況やこの先の変化が、自らのビジネスにどのような影響を与えるのか。そういった全体像をきちんと掴んでおくためには、サイエンスの視点が不可欠となります。昨今では、経営者が人を理解するためにはアートの素養が必要だといわれていますが、おそらく**これからの経営者にはサイエンスが必須科目**となるでしょう。

そして三つめのハードルは、人々の価値観の変化です。持続可能性も地球貢献も、それが少数の人々の主張にとどまっている間は、社会全体に大きな影響を及ぼすことはありません。「確かにそれが理想ではあるけれど、現実的には難しい」というスタンスで切り抜けることが可能です。

しかし、持続可能性や地球貢献を良しとする価値観が社会の過半数を超えてくると、それがそのまま市場の評価軸になってきます。「そうでなければ売れない」という状況が到来するわけです。

ここ数年は、まさにそれが現実になりつつあります。毎年のように世界各地で発生する大規模な自然災害によって、「気候変動問題は喫緊の課題だ」ということを人々が強く実感するようになっています。「もはや対岸の火事ではない」という肌感覚は、確実に社会の価値観を変えていきます。

この流れをさらに加速させているのが、2000年前後に生まれた「Z世代」の台頭です。少子高齢化が進む日本とは違い、世界ではこの世代が人口の大きなボリュームを占めています。例えばアメリカではZ世代が人口の25%以上を占める最大層となっており、経済でも世論の面でも中心的な存在です。

若い彼ら・彼女らにとって、自分たちの未来に直接に関わる持続可能性や地球貢献の概念は完全に「自分ごと」です。そんなZ世代の価値観が、そのまま社会や経済の価値観に反映されていくのは当然の流れだといえるでしょう。

これからのビジネスにおいて、地球貢献型へのシフトはもはや避けられません。経営戦略的に「地球貢献型は正しい／正しくない」を判断するタイミングはとうに過ぎています。それが極めて困難であることを認識しながらも、それでも進まなければならない。そちらに進むことができなければ、生き延びることができない。そういう状況に私たちは直面しているのです。

課題解決が先、売上は後からついてくる

繰り返しになりますが、これからの時代に地球貢献が必要な理由は、「従来の人類のやり方を続けていては地球がもたない」という前提があるからです。従来のやり方＝常識だとすれば、地球貢献の実現とは、非常識を実現し続けることによってのみ可能です。違う表現でいえば、未解決の課題を解決し続けることが、これからの私たちのミッションとなります。

もちろん、従来のビジネスでも、課題解決がなされていなかったわけではありません。むしろ何かしらの課題を解決するからこそ、そこにニーズが生まれ、堅い表現をすれ

ば「需要と供給」の関係性においてビジネスが成立するわけです。

ただし、従来のビジネスは、あくまで「売上をあげること」「利益を追求すること」が目的でした。課題解決の結果として、利益が生まれる。社会貢献の結果として、利益が生まれる。顧客創造の結果として、利益が生まれる……。

そのアプローチは企業によってさまざまですが、いずれにしても何かしらの課題解決がなされて、それが最終的に売上や利益に結びつく、という点に違いはありません。つまり、目的はあくまで売上や利益で、課題解決はその手段でした。そうした企業のアプローチが、結果的に社会の豊かさを生みだしてくれたのがこれまでの時代でした。

ところが地球貢献の時代においては、その課題が必ずしも売上や利益につながらないものだとしても、解決しなければならないケースが出てきます。むしろ、そういったケースのほうがこれからは増えるかもしれません。例えば、温室効果ガスの排出を全体としてゼロにする「カーボンニュートラル」などはその最たるものだといえるでしょう。

人のニーズに応えたり、あるいは課題を解決することができれば、その人は対価としてお金を支払ってくれます。しかし地球環境のためにカーボンニュートラルを実現したからといって、当然ながら地球がお金を払ってくれるわけではありません。つまりこの場合は、課題の解決が、売上や利益に直接的には結びつかないわけです。ここにこそ、地球貢献の最大のハードルがあります。資本主義のルールをそのまま適応するだけでは、うまくいかないことが目に見えているのです。

では、どうするか。方法は一つです。ビジネスの原理を逆流させるしかありません。これまでは**「売上のための課題解決」だったルールを、「課題解決のための売上」というルールに転換**するのです。とにかく課題解決が第一であり、課題解決こそが最大の目的である。売上はその課題解決を続けるための手段である。地球貢献の実現には、この逆流が絶対に欠かせません。

もう少し具体的に考えてみましょう。

ビジネスにおいて売上をあげる方法としては、大きく3つのキーワードを挙げることができます。「より早く」「より広く」「より多く」の3つです。

「より早く」とは、まだ競合他社が目をつけていない新規市場にいち早く参入することを意味します。いわゆるブルーオーシャン戦略です。競争の厳しい環境よりも、競争が緩やかな環境、あるいはそもそも競争相手が存在しない環境のほうが、売上があがりやすいことは間違いありません。

「より広く」とは、できるだけ市場規模が大きなマーケットに参入することです。市場には顕在的なものと潜在的なものがありますが、いずれにしても見込まれるリターンが大きければ大きいほど売上は増加しますし、費用対効果の観点からも市場規模は大きいに越したことはありません。

最後の「より多く」とは、市場シェアの拡大を意味します。同一の市場であっても、自社が占めるシェアが高まれば高まるほど売上は増加します。また「勝者総取り」という言葉もあるように、市場シェアの一位と二位では、その順位以上の開きが往々にして生まれるものです。

従来のビジネスの常識では、これらのより早く、より広く、より多く、の観点にかなうような課題を解決することが「経営戦略としての正しさ」であり、また「競争力の向上」につながりました。逆にいえば、この3つに合致しない、あるいはこの3つに貢献しない課題に取り組むことは「競争力の低下」を招く要因とされてきました。

つまり、売上をあげるためには競争に勝つ必要があり、競争力の向上につながる課題のみが取り組む価値のある課題である、というロジックでこれまでのビジネスは動いてきました。まさに「ビジネスとは競争である」というのが、これまでの常識だったわけです。

そしてこの競争の原理から弾かれるようにして放置されてきた数々の課題が、巡り巡って私たちの首をじわじわと絞めているのが世界の現状だといえるでしょう。

では、これまでは「売上のための課題解決」だったルールを、「課題解決のための売上」というルールに逆流させるにはどうすればよいのでしょうか。「競争」ではないビジネスのあり方とは、一体どのようなかたちになるのでしょうか。どのようなビジネスであれば、地球貢献を実現することができるのでしょうか。

私は、それを可能にするのは「共生」以外にありえないと考えています。**競争から共生へ。**このシフトこそが、次の時代を切り拓くのです。実は、私にそのヒントを教えてくれたのは、生物の営みでした。

厳しい生存環境を乗り越えるための「共生」

いま私たちは、これからの時代の厳しい環境をどう生き抜いていけばよいのかという問題に直面しています。そしてこれまでのビジネスを大きく転換しなければならないタイミングを迎えています。この問題を考えるにあたって大きなヒントを与えてくれるのが生物です。常に厳しい生存環境にさらされている生物は、実にダイナミックな方法でその試練を乗り越える方法を編み出しています。

その事例としてぜひ紹介したいのが、マメ科植物の生態です。私は東京大学大学院の博士課程で農学生命科学（応用生命工学専攻）を専門にしていたのですが、博士号を取得したテーマがマメ科植物と根粒菌の「共生」メカニズムの解明でした。

みなさんは、土に生えているマメ科植物の根を観察してみたことがあるでしょうか。一般的な植物の根は、ヒゲが生えていたりはしますが、基本的には真っ直ぐです。ところがマメ科植物の根には、ところどころにコブが付いています。

コブの正体は、根粒菌というバクテリアです。通常、バクテリアは根の表面に付着することはあっても、根の中に入ることはできません。しかし根粒菌はマメ科植物の根の中に入り込み、いわば「自分の部屋」をつくらせて（これがコブになります）、そこで大気中の窒素をマメ科植物が利用できるアンモニアのかたちに変換しているのです。

窒素は植物にとって必須の養分ですから、マメ科植物にとってこれほどありがたいことはありません。「そのお礼に」というわけではありませんが、マメ科植物は光合成によってつくりだした炭水化物を根粒菌に供給しています。このようなシステムによってマメ科植物と根粒菌は土の中で共生し、環境の変化を生き抜いてます。

マメ科植物は光合成によって炭水化物をつくることができる一方で、大気中の窒素を取り込むことはできません。根粒菌は大気中の窒素をアンモニアに変換できる一方で、光合成を行うことはできません。つまりここでは、マメ科植物と根粒菌の間で、お互いの**「できること」を組み合わせる**ことによって、両者の**「できないこと」を一挙に解決する**というプロセスが成立しています。共生というシステムが、いかにダイナミックな課題解決であるかが理解いただけるのではないでしょうか。

もう一つ面白いのは、マメ科植物にとっても、根粒菌にとっても、共生する相手が極めて限定的だということです。人間でいえば「自分には君しかいない」「私にもあなたしかいない」という関係でなければ、共生は成立しません。

例えば同じくマメ科のミヤコグサにはメゾライゾビュウムという種類の根粒菌しか付きませんし、大豆にはブラディライゾビュウムという種類の根粒菌しか付きません。共生のシステムは極めて緻密に設計されたものであるため、本来の「マッチング」とは異なる相手とは成立しないのです。

こうしたマメ科植物と根粒菌の共生のあり方をまとめると、次のようになります。

- 共生は、異種の存在が「一緒に生き残る」ためのシステム
- 同一の役割を分担するのではなく、それぞれが異なる役割を果たしている
- いわばお互いの「余剰」を融通し合うことで、双方が「利益」を得るかたちである
- 共生が成立する組み合わせは極めて限定的

考えれば考えるほど、共生というのはふしぎな現象です。もともとは別々の存在であった二者が、なぜ一緒になることになったのか。双方の「余剰」がお互いにとっての「利益」になるということが、なぜわかったのか。そして、この奇跡のような組み合わせが、なぜ実現したのか。

ドライな言い方をすれば、「人間には計り知れない時間軸の中で、無数のランダムな組み合わせが行われ、その中で環境にうまく適応した組み合わせが結果的に残ることになった」ということになりますが、それにしても本当にふしぎで、見事で、興味のつきない現象だと思います。

いまの日本に「競争」を続ける余裕はない

さて、そろそろ本題に入りましょう。なぜマメ科植物と根粒菌の共生が、今後のビジネスのあり方を考えるヒントになるのでしょうか。

まず挙げたいのが、共生の本質が「使えるものはなんでも使う」という点にあることです。あるいは「使えるものでなんとかする」といえるかもしれません。もともと生命科学の研究者であり、いまは経営者でもある私には、これは「自然界のマネジメント」のように見えます。

そして、厳しい環境に晒されたマメ科植物と根粒菌が、「この先を生き残るにはどうすればよいか」という共通の課題のもとで編み出した方法が「**異なる存在との共生**」でした。おそらくその方法を実現した一つの株が、結果的に環境に適応することになり、次世代のスタンダードとして広まっていったのでしょう。一つの発明が、少しずつ広まっていき、やがて常識になっていくというそのプロセスは、まるで現代のイノベーションのようでもあります。

20世紀前半の経済学者であるヨーゼフ・シュンペーターは、「価値の創出方法を変革して、その領域に革命をもたらすこと」をイノベーションと呼び、変革の段階では「新結合」が起きるという理論を提唱しました。私にとってマメ科植物と根粒菌の共生は、「新結合」による「イノベーション」にほかならないのです。

環境そのものがやせ細っていくような状況では、例えば「他の植物よりも長い根を張る」といった競争的なアプローチ（かつ、従来の延長線上のアプローチ）はあまり意味を成しません。他の植物に「勝つ」ことで十分な養分が得られる間はともかく、環境の衰退が生命を維持できるレベルを超えてしまえばその時点でジ・エンドです。

競争的なアプローチの限界については、日本の現状に当てはめて考えた方がより実感が湧くかもしれません。

日本の総人口は２００８年の1億２８０８万人をピークに、それ以降は一貫して減少しています。新型コロナの感染拡大を経て減少スピードはさらに加速し、２０２３年6月現在で確定している最新の数字は1億２４９４万人です。

では、この先はどうなるのでしょうか。２０２０年に実施された国勢調査をもとにしたデータによれば、総人口は２０４５年には1億８８０万人、２０５６年には1億人を割って９９６５万人となり、約50年後の２０７０年には８７００万人にまで減少すると見込まれています。

総人口の減少もさることながら、より衝撃が大きいのは少子高齢化の影響がストレートに現れる生産年齢人口（15～64歳）の減少です。こちらはすでに１９９５年の８７２６万人をピークとして減少が始まっており、２０２３年時点では７３８６万人となっています。この先は２０３２年に７０００万人割れ、２０４３年に６０００万人割れとなり、30年後の２０５３年には５３９４万人にまで減少すると見込まれています。今後30年間で実に27％減という急激なペースです。

30年後には、社会を支える人数が現在の7割にまで減ってしまう。その一方で、社会の支えを必要とする高齢者はどんどん増えていく。つまり今から30年後の日本社会を担う世代は、ごっそりと減ってしまったメンバーの働きをカバーしながら、同時にさらなる負荷に耐えなければならない、という状況に追い込まれることになるのです。

これらのデータをふまえれば、将来的な労働力の不足や、国内需要の減少による経済規模の縮小は完全に不可避でしょう。それどころか、日本社会そのものを維持できるかどうか、という瀬戸際に立たされているといっても過言ではありません。

現実的な問題として、すでに社会インフラの維持は難しくなってきています。例えば年金システムは維持できるのかといった話題や、あるいは地域の鉄道の赤字路線はいつまで維持できるのかといった話題が、毎年のように議論されています。今後、同様の危機的状況はさらに広範囲へと広がっていくでしょう。現在の日本は、本当に深刻な状況です。

こうした状況で、従来通りの「競争」を続けた先に、何が待っているのでしょうか。おそらくそこで行われることになるのは、もはや競争ではなく争奪です。シェアの奪い合い、労働者の奪い合い、社会インフラの奪い合い……。私には、荒廃した未来しか見えません。


これまでの延長線上の取り組みではなく、マメ科植物と根粒菌の共生のような、自らのあり方自体を変えてしまうような方法でなければ、環境の変化を生き延びることはできない。自然界の仕組みは、私たちにそう訴えてきます。

昨今、世界的にＤＸ（デジタルトランスフォーメーション）がビジネスのトレンドとなっています。しかし、その取り組みがデジタルを用いた業務効率化やコスト削減にとどまり、結局のところビジネスの目的が「競争に勝つこと」にとどまるのであれば、未来は変わりません。

いま私たちが取り組むべきは、**「ビジネスの改善」ではなく「ビジネスのあり方の転換」**です。デジタルの活用によって、より多くの知識を集約し、より多くの人々がその知識を共有できる状況をつくりだし、結果的に課題解決の速度を上げていくことです。つまり、デジタルの力によって、組織の行動を「課題解決のために効果的なもの」へと変え、ビジネスの原理を競争型から共生型へとトランスフォームさせること。もしくは、そのための準備をすること。これこそが真のＤＸだと私は考えます。

共生型ビジネスとは何か

共生型のビジネスといっても、すぐに具体的なイメージは湧かないかもしれません。そこでまず例として紹介したいのが、リバネスが手がけているテックプランター※です。

その始まりは、２０１３年にまでさかのぼります。同年10月9日、私たちは次のようなプレスリリースを発信しました。10年前の文章ですが、当時の私たちの課題意識を明確に打ち出すことができていると思います。

株式会社リバネスは、ものづくりベンチャーに特化した経営支援・開発支援・小口投資を組み合わせた「テックプランター事業」を開始します。当社が開始するテックプランター事業の特徴は以下の通りです。

①ものづくり系ベンチャーに特化した、ハンズオン育成を展開

数多くのVCやシードアクセラレーターが存在するITやバイオ分野ではなく、ロボティクス等のものづくり分野の企業に特化した支援を行います。育成対象のテックベンチャーに対し、事業スペースの提供、販路開拓支援、事業計画作成支援など、総合的な経営支援を行います。

②「町工場と連携したものづくり」を支援

開発支援の一環として、町工場連携を促進します。町工場の持つ設備を活用することで、スタートアップに必要な設備投資を軽減し、プロトタイプ開発を加速します。

③小口投資を実施

社内に「Tech planter 投資委員会」を設置し、スタートアップのテックベンチャーに対し、1社あたり500万円程度の小口投資を行います。

つまりテックプランターは、ものづくりベンチャー、町工場、経営支援機関、そしてリバネスという4者による共生型ビジネスとして始まったものなのです。

その後、テックプランターは支援の対象をものづくりベンチャーから研究開発型ベンチャーへと拡大し、2019年にはコンセプトを「未解決の課題（ディープイシュー）を科学技術の集合体（ディープテック）で解決する」というものに再定義しました。

2023年現在では、ディープテック、アグリテック、バイオテック、マリンテック、メドテック、フードテック、エコテックの7領域に及ぶプログラムとなっており、連携先も町工場に加えて、大企業、中小企業、金融機関、ファンド、士業と充実した体制に進化を遂げています。さらに国内12地域、ASEAN6カ国でも同様のプログラ

アジアを代表するベンチャーエコシステムに成長したテックプランター

ムを展開しており、アジアを代表するベンチャーエコシステムとなっています。

テックプランターへのエントリー数は、2022年までの9年間で国内外合わせて3000チーム以上となっています（国内1858チーム、海外1147チーム）。ここから本当に数多くのプロジェクトが生まれていますが、中でも特筆すべき成果として、IPOを果たしたベンチャー企業が2社、大企業によるM＆Aが2件、出身ベンチャーによる資金調達が累計で300億円以上という数字を挙げることができます。

テックプランター以外にも、共生型のビジネスはすでに数多く存在しています。その代表例といえるのが、今やすっかり当たり前の存在になった「シェアリングエコノミー」であり、中でもUberやGrabをはじめとする配車サービスです。

タクシー会社が車とドライバーを自社で所有して運用するのに対して、配車サービスは自社で開発したデジタルプラットフォームを一般人も含む全てのドライバーに解放するという「共生」によって、新たなビジネスモデルをつくりだしました。

日本国内では規制のハードルが高いなどの理由から、まだ爆発的な拡大には至っていませんが、海外での移動には完全に欠かすことのできない存在になっています。

この事例は、**共生型のビジネスがいかに大きなインパクトを持つことになるのか**、そして従来の競争型のビジネスがいかに破壊的なダメージを受けることになるのか、ということを如実に示しています。

「競争から共生へ」というと、ビジネスに対して消極的な印象を感じる方もおられるかもしれません。しかし、前述の例からもわかるように、これは決して「売上や利益の低下」を意味するものではありません。競争から共生へのビジネスの転換は、あくまで「売上」と「課題解決」の優先順位を逆にするということであって、むしろこの転換によって結果的に「売上はあがる」というのが私の考えです。

※テックプランター https://techplanter.com/

知識製造業へのシフトが日本の道

では、なぜ共生型のビジネスは大きなインパクトを持ち得るのでしょうか。競争型のビジネスとはどこが違うのでしょうか。前述したマメ科植物と根粒菌の共生の事例で、私は次のように書きました。

> つまりここでは、マメ科植物と根粒菌の間で、お互いの「できること」を組み合わせることによって、両者の「できないこと」を一挙に解決するというプロセスが成立しています。

最大のポイントは「組み合わせ」にあります。競争型ビジネスにおいては、「自分ができること」は「相手を打ち負かすため」に使います。しかし共生型ビジネスでは、ここに関わるプレイヤーたちが「できること」を「組み合わせる」ことによって、課題解決を成し遂げます。一つの企業の力と、複数の企業の力。どちらのインパクトが大きいかは明らかです。

リバネスでは、こうした共生型ビジネスの全体のプロセスを「知識製造業」と呼んでいます。つまり、知識と知識の組み合わせによって新たな知識をつくりだすこと。そして新たな知識によって未解決の課題を解決すること。「はじめに」の中でも紹介したように、これが知識製造業の定義です。

ちなみに、知識とは何かを厳密に定義しようとすると、古今東西の哲学を結集しても収拾のつかない事態に陥ってしまいますが、一般的に国語辞典では「知ること」「認識・理解すること」と説明されています。

本書においては、これをもう一歩押し進めて、「課題の本質を理解し、その解決を実現すること」を「知識」の定義とします。

ここまでの説明をふまえることで、ようやく本書の『知識製造業の新時代』というタイトルの意図が明確に浮かび上がってきます。私はみなさんとともに、「**新たな知識を**

つくり続けることで未解決の課題を次々に解決し、その結果として地球貢献を実現する」という時代をつくりたいと思っているのです。

そして知識製造業の実現に、日本ほどふさわしい国はありません。日本には、かつて世界一を誇った製造業の技術があります。一つ一つの中小企業に、きらりと光る独自のノウハウがあります。それをつくりだした人々の知識がまだ残っています。ガラパゴスと呼ばれようと、失われた30年といわれようと、そんなことは関係ありません。

確かに、現時点での企業の技術開発や大学の研究は、世界のトップ集団から遅れを取りつつます。しかし、長い時間をかけて蓄積されてきた「知識の量」でいえば、日本は間違いなく世界のトップであり続けています。

また、日本には100年以上続く老舗企業が4万社も存在します。世界全体では8万社といわれていますから、実にその半数を日本企業が占めるという状況です。これは、日本企業がいかに「持続可能であるか」ということを物語る数字だといえます。そしてそのための知識が、日本に存在し続けているということでもあります。

知識がある、ということ。これこそが知識製造業における最も重要なポイントです。知識があるなら、組み合わせましょう。知識と知識を組み合わせることによって、新たな知識をつくりだしましょう。新たな知識によって、未解決の課題を解決しましょう。

それができるのは、知識をもつ国だけなのです。

また、日本は国民性としても、競争から共生へのシフトを自然に受け入れられるはずです。「勝者総取り」のメンタリティではなく、「和の精神」をもつ日本人にとって、知識製造業には大きなアドバンテージがあります。

共生型ビジネスを通じて知識製造業を行い、新たな知識によって社会の、そして世界の課題を持続可能なかたちで解決していくこと。その結果としてビジネスが成長し、企業が成長し、社会全体が成長していくこと。この循環をつくることができれば、日本の未来は大きく開けます。いまこそ、知識製造業への一歩を踏み出しましょう。

CASE 1
知識製造業を実践する長谷虎紡績

第二章に入る前に、一つの寄稿を紹介させてください。原稿を寄せてくれたのは、岐阜県羽島市で1887年から続く老舗繊維メーカー・長谷虎紡績株式会社の代表取締役社長である長谷享治さんです。130年を超える歴史を持つ長谷虎紡績の五代目である長谷さんは、2014年にバイオベンチャーであるスパイバーとの資本業務提携に関わるなど、先見の明をもって「知識製造業」の取り組みを進めてこられました。

リバネスとの出会いは2021年度の岐阜テックプランターです。その場で私たちが話した知識製造業の考え方に、即座に反応してくださったのが長谷さんでした。それ以降、長谷虎紡績はさまざまなプロジェクトにパートナーとして参画してくれているのですが、ある時、「丸さん、ちょっと読んでみてください」と送られてきた新聞記事を見て、私は本当に驚きました。そこには「製造業から〝知識製造業〟へ」という大きな見出しがあったのです。

その記事の中で、長谷さんは次のように語っていました。

今年、紡績設備を増強し、開発ラインも新設しました。当社にとっては30年ぶりの大型設備投資です。これも、改めて紡績技術によって新しい原料・素材による開発に取り組むためでした。技術を確立できれば、自社での生産に活用するだけでなく、海外生産に向けて技術を「輸出」する可能性も開けます。今後は二酸化炭素排出量に対する規制も強まり、輸送による環境負荷を抑えるために地産地消への要望も強まるでしょう。つまり、日本の繊維産業は製造業から一歩進んで〝知識製造業〟になることが必要ではないでしょうか。技術によって地域の人々の暮らしを豊かにするのが繊維産業の役割です。当社は創業から130年にわたって地域との共存をモットーとしてきました。〝地域〟の概念を海外にまで広げることが必要でしょう。

出典：繊維ニュース（2022年10月27日）／発行元のダイセンの許諾を得て掲載

リバネスが提唱する知識製造業の概念を、長谷さんが自分の言葉としてインタビューで語ってくれている。これほど嬉しいことはありませんでした。

そこで今回本書を制作するにあたって、長谷さんに「中小企業にとって知識製造業の必要性とは」というテーマで依頼したのが、紹介する原稿です。知識製造業へのシフトを考えていく中小企業にとって、大いに勇気づけられる内容となっているはずです。

知識製造業がなぜ私たちに必要不可欠なのか

長谷虎紡績株式会社 代表取締役社長 長谷享治

長谷享治（はせ・たかはる）
1980年生まれ。岐阜県出身。麗澤大学を卒業後、2003年に長谷虎紡績株式会社に入社。大阪支社やカーペット事業、中国子会社の社長、「光電子」の運営会社ファーベスト社長などを経て、2019年12月に5代目として長谷虎グループの代表取締役社長に就任。

「どう変化するべきか」が見えてきた

私が知識製造業という言葉に強く惹かれた理由には、私たち繊維産業が置かれている事業環境と、私自身が持つこの事業に対する強い危機感がある。繊維産業は、この数十年で大きく様変わりし、沢山の企業が淘汰されてきた。その中には高い技術力を誇り、高い品質のものづくりができる、いわゆる「良い企業」も数多くあった。こうした厳しい現実を間近で見ている中で、私たちも今の延長線上でビジネスを続ければ、5年後には淘汰されてしまうのではないかという強い危機感を持つようになった。

しかし、「これから大きく変化していかなければならない」という強い思いがある一方で、「今をどう変化させ、また変化させた先にどうあるべきか」という明確な答えにはたどり着いていなかった。

私の場合、父親から経営のバトンを受け継ぎ、中小企業の経営者となったのが2019年12月末のことだった。まさに、世界で新型コロナが始まろうとしていたタイミングだ。その後の感染拡大に伴い、自社の売上は大きく減っていった。そして同時に、世界のさまざまな仕組みや人々の価値観も激変していった。

リバネスの丸さんと出会ったのはそんな頃だった。そしてそこから、少しずつではあるが、今をどう変化させ、そして変化の先にどうなっているべきかが見えてきた。

日本の繊維産業の現状

日本の繊維産業は1960年代をピークに劇的に減少している。日本の国内紡績設備数は、1960年代の1200万錘（錘とは1本の糸を作る単位）をピークに減少の一途をたどり、2023年時点では98・5％減となる18・3万錘まで激減している。今年、さらに大手の繊維企業が国内紡績工場から撤退するという話も聞かれる。

その一方で、日本のアパレル製品の輸入浸透率は年々上昇している。特に2000年以降、その水準は急激に上がり、現在では、98％を超える数字にまでなっている。その背景には、ユニクロ（同社の製品のほとんどは海外生産）やZARA、H&Mといった国内外のファストファッションの台頭がある。

このように、この数十年で多くの紡績に携わる企業が淘汰されてきた。日本国内で製造していた紡績工場の品質や技術、生産性が他の国と比較して低かったかといえばそうではない。撤退もしくは廃業した紡績工場には、それぞれ優秀な技術者、高い品質、技術など、他国と比較しても決して劣らないものがあった。しかし、最終的にはコスト競争に負け、中国や東南アジアといった安い労働力の国々に生産拠点は移っていった。

地元岐阜の街の現実

私が生まれ育った岐阜県は、古くから繊維業が盛んな地域であった。岐阜県西濃エリアから愛知県尾張西部エリアは尾州産地と呼ばれ、世界でも有数のウール織物の一大産地として名を馳せた。かつての岐阜市には国内有数の大きな繊維問屋街があり、日本中から多くの人が集まる賑わいのある街だった。しかし、今ではシャッター街となっている。この光景は、もしかすると日本の未来そのものになるかもしれない。

単なる製造だけを行っていれば、どの産業もいずれは安い労働力に取って代わられることになる。日本の未来の製造業の姿が岐阜にはある。こうした状況を打破する一つのキーワードが「知識製造業」だと今の私は強く感じている。

岐阜繊維問屋街の今（2022 年 11 月撮影）

日本の企業のほとんどが中小企業であり、その中には製造業も多数ある。資源を持たない日本にとって、製造業が元気になることは極めて重要なことだ。私たちを含め、製造業が知識製造業になることが日本経済復活の原動力になると確信している。さらに、これは日本という狭い範囲にとどまる話ではない。日本のものづくりの技術が世界のさまざまな社会課題を解決することによって、明るい未来を築くことができると信じている。

私たちのものづくりの価値を再定義してみる

製造業の中で知識の部分に大きな価

値があることに気づかされたのは、実は丸さんの知識製造業という言葉からだった。そもそも私は、知識と製造は正反対の関係にあるものだと思っていた。そこで知識製造業という言葉をきっかけにして、あらためて私たちの事業を見直し、「なぜ」を繰り返してみた。

なぜ私たちは、98・5%もの会社が淘汰されてきた日本の紡績業の中で、今もこうして生き残ることができているのか。それは日本で、いや、世界でも私たちにしかできない難しい素材（綿）を糸にすることができているからだ。

では、なぜ私たちはそれができているのか。簡単にいえば、糸をつくる上での機械の細かな設定や、機械の中にある細かな針の間隔や角度、機械を回すスピード、綿に付ける油剤の種類やその微妙な量。そして工場内の温度・湿度も大きく関係してくる。こうしたそれぞれの微妙な調整を行うことで、他の企業では不可能だった素材でも、私たちの工場ではそれを糸にすることができている。

この微妙な感覚は、これまで長年にわたり蓄積した経験やノウハウといった、知識の集積によるものだ。難しい素材を糸にできるのは、最新鋭の機械だからではない。長年にわたって築き上げてきた知識があるからこそ、糸にできているのだ。

知識製造業という言葉を通して、あらためて私たちのものづくりの本来の価値に気づくことができた。製造に携わる私たち自身が、しっかりと自社のどこに価値があるのかを知ることが非常に重要だ。それをどう活用し、応用していくかが、これから未来を切り拓く原動力となる。

再定義によって新たな可能性に気づく

知識製造業というキーワードを通して、私たちの事業の価値が再定義され、繊維には大きな可能性があることに気づくことができた。そして同時に大きな意識変化が起こった。

これまでの私たちにとって、一番の興味は「いかに機能性がある難しい綿を糸にするか」だった。しかし世の中にとっては、「糸になるかどうか」にそれほど大きな意味はない。そうではなく、「それが製品になることでどのような良いことを提供できるのか」のほうが、よっぽど重要なことなのだ。ここに気づくことができたのは、本当に大きな変化だった。

実は、これまでさまざまな企業からユニークな素材を紹介してもらった際にも、私たちの興味は「糸になるか、ならないか」だった。そのため、その多くは私たちのもとから離れてしまっていた。いや、厳密にいえば、これは私たちの方から離れてしまったのだ。もしかするとその中には、世の中を大きく変えるような真に優れた素材があったのかもしれない。

今、私にとって一番の興味は、糸になるかどうかではない。その素材にどのような可能性があるのか。そして、その素材でどのような社会課題が解決できるのか。この二つである。繰り返しになるが、これは本当に重要な意識の変化だった。

今年、私たちはリバネスからの誘いを受けて、リバネス・フォレスト・プロジェクトへの参画を決めた。これは「テクノロジーの集合体によって、森林と人とを自律的に循環させる新しい社会システムの構築を目指す」というコンセプトによるもので、その思いに賛同した国内12社の企業と共に2023年3月にスタートしたプロジェクトだ。その第一歩として、フィリピン発のスタート

リバネス・フォレスト・プロジェクト　https://forest.lne.st/

アップであるGALANSIYANG Inc.と連携し、フィリピンの荒廃した森林の再生に挑もうとしている。

このプロジェクトで現在私たちが取り組んでいるのが、「ドローンから投下するシードボール（植物の種子を埋め込んだ泥だんご）が崩れないように、繊維で強化する方法はないか」というテーマだ。

おそらく従来の私たちなら、こう考えただろう。

「糸でそれを行うのは難しい。だから、このプロジェクトは私たちには関係ない」

そして、プロジェクトへの参画を即座にお断りしていたはずだ。

しかし知識製造業という言葉に触れたことで、考え方や素材に対する概念が変わった今では、新たなアイデアが次々に湧き上がってくる。

「シードボールを強化するなら、糸ではなく不織布や粗いメッシュ状の織物のほうが適しているのではないか」

「しかもそれなら簡単にシードボールを包むことができ、作業効率も上がるのではないか」

「素材自体にも私たちが力を入れている生分解性のものを使おう。これなら地面に投下された後、自然に土に還ることができる」

これは、今まで「糸」にしかビジネスの領域がなかった私たちに、「糸以外」の可能性が広がった瞬間でもあった。

これからの製造業にとって重要な知識とは

製造業にとって、知識こそが重要な要素であることは先ほど述べた通りである。これに加えて、もう一つ極めて重要なことがある。それは「世界は今どうなっているのか」「これからどう変化していくのか」を予測することである。

また同時に「日本にはどのような社会課題があるのか」「世界にはどのような社会課題があるのか」といった知識についても、製造業として常にアンテナを張っておく必要がある。なぜなら、こうした社会課題と、自社のものづくりの強みを掛け合わせることで、新たな価値が生まれるからだ。

社会課題を見つけるという意味では、スタートアップ企業やベンチャー企業との協業も大きなきっかけとなる。しかし、中小企業にとっては、特に地域の中小企業にとっては、ベンチャー企業と出会う機会はそう多くはない。

私たちにとっては、この部分をつなぐ役割をしてくれているのがリバネスである。実際に私自身もリバネスと出会ってから、さまざまなベンチャー企業と出会うことができ、新たなプロジェクトが動き始めている。リバネスとは、これからも共に未来を切り拓くパートナーとして関係を築いていきたいと思う。

第二章

営業の新概念「ブリッジコミュニケーター」

イノベーションは常に信頼から始まる

「我が社のイノベーションを実現するアイデアを募集します。みなさんの自由な発想を期待しています。ただし失敗は許されません。ですから採用するアイデアは、成功した前例があるものに限ります」

こんな冗談のような話が、いま日本中の企業で起きています。失敗が許されない自由。前例のあるイノベーション。特に組織が硬直化した大企業でよく耳にする事例ですが、往々にしてそのような発言をする当の本人に悪気はありません。むしろ真面目に業務に取り組んでいるからこそ姿勢が守りに入り、腰が引けてしまった結果の発言だったりもします。

あるいは、こんな例もよく聞きます。

「我が社もオープンイノベーションに参画して、ベンチャーの斬新な発想を積極的に取り込んでいこう。ただし、どこの馬の骨ともわからない相手とは組みたくない。プロジェクトのコントロールも手放すわけにはいかないし、成果が見込めなければ予算は積めない。どこかに良い相手はいないだろうか」

おそらく、いや、ほぼ確実に、この会社のオープンイノベーションはうまくいきません。そもそもプロジェクトが実際に動くかどうかもあやしいところです。ただ、これを「だから日本はダメなんだ」と鼻で笑うような態度は、私は好きではありません。なぜなら、これがイノベーションやベンチャー企業を取り巻く現状であり、それだけ難しい話であることの証拠でもあるからです。現実を直視しなければ、次の一歩を踏み出すことはできないはずです。


課題解決には、正解が存在しません。そして、課題が解決できるかどうかも、やってみなければわかりません。まるで禅問答のような話ですが、これが課題解決のリアルです。まずはやってみる。そして解決できると信じてやり続ける。それ以外に未解決の課題を解決する方法はありません。

競争型のビジネスであれば、目の前には市場があり、そして競合他社が存在します。市場も競合も、調査をして分析することができます。どうすれば勝つことができるかという戦略を立案することもできますし、それを実行するための計画を立てることもできます。このやり方に慣れ親しんできた企業が、課題解決第一の共生型ビジネスへと転換し、そして製造業から知識製造業へとシフトすることは、そう簡単なことではありません。

それでも勇気を持って、新しい道へと一歩踏み出そうとするみなさんにまずお伝えしたいのが、「**信用ではなく信頼で始めましょう**」ということです。

繰り返しになりますが、課題解決に正解はありません。まずやってみる以外に方法はありません。知識と知識を組み合わせて新たな知識をつくりだすのが知識製造業ですが、そこで一緒に組む相手に「信用」を求めることはできません。自分たちの側にも「絶対にできる」という確証はないはずです。だからこそ、わざわざ異なる存在である相手と組んで、「一緒に課題を解決しましょう」とやるわけです。できる人がいるなら、その課題は既に解決しています。大いなる挑戦は、仲間を信頼して共に一歩を踏み出すところから始まるのです。

相手を信頼するということは、性善説で行動する、ということでもあります。

あの相手と組むと、こちらのノウハウを盗まれるのではないか。あのベンチャーに出資しても、期待通りに成果を出してくれるとは限らない。相手が自分たちに声をかけてきたのは、裏に何かしらの思惑があるからではないか……。

企業として、新たな行動を起こす際にそのリスクを見積もっておくことはもちろん重要です。大きな挑戦や、正解のない課題解決の取り組みにリスクがあることも当然です。しかし、だからこそ、性悪説でリスクを洗い出しているだけでは、ものごとを前に進めることはできません。新たな挑戦において、完璧なリスクヘッジは不可能です。

では、もし信頼した相手に裏切られたらどうするのか。そのときには「仕方がない」と諦めるしかありません。信頼したのは自分なのですから、その場合は事前に認識していたリスクを粛々と受け入れるのみです。

リスクを認識した上で、性善説で相手を信頼して、とるべきリスクをとる。うまくいけばリターンがあるし、そうでなければ仕方がないと諦める。このスタンスでなければ、イノベーションを起こすことはできません。

日本たばこ産業株式会社の元代表取締役副社長で、リバネスにとってはテックプランターの育ての親の一人でもある新貝康司さんは、リバネス発行の冊子に掲載された「純粋な志から始まる大企業の新成長戦略」という私との対談記事の中で、ベンチャー企業との付き合い方を次のように語っています。

丸　近年は大企業でも新規事業創出の動きが活発ですが、「仕事だから」というスタンスでスタートアップと会っても、結局何も起こらないことが多いです。

新貝　自分の出世のために、ベンチャーから盗んでやろう、という発想では前には進みませんからね。そういう人が技術を融合して、何かを世の中に生み出そうとしても、ディープイシューに刺さらない可能性があります。成人発達度の高い、まさに社会のイシューに目が向いている人でないとモノゴトは興せない。人との勝ち負けや、自分のことだけを考える成人発達度の低い人が企業のトップにいると、成人発達度の高い人の考えや活動に対して理解を示せません。

丸　スタートアップの志に共感できるかどうかが大切ですよね。新貝さんが最初に共感してくれたのは、台風でも発電可能な風力発電機を世界で初めて開発するチャレナジーでしたね。

新貝　初めて会った時、「これだ！」と思いました。その時はコンセプトしかありませんでしたが、彼らは間違いなくディープイシューに取り組んでいて、とても共感しました。日本の大企業こそ、枯れた眠れる技術を活用し、社会の課題を解決しようとする人が、世界のために活躍する場所を提供しなければいけない。これは日本の将来にとって非常に大事だと思います。

丸 スタートアップの思いに共感し、彼らが持っているディープイシューに対して、僕らは何を結合させられるかを考える、それがエコシステムの始まりです。僕が36歳のとき、新貝さんに、一緒にエコシステムを作ってくださいとお願いしたら、「僕も30代後半の時に投資してきたし、丸さんとやるよ」と言ってくださった。今でも忘れもしません。そこからリバネスのテックプランターが始まりました。

出典：創業応援 vol.16（2019年12月）

また、新貝さんと同じく、長年さまざまなプロジェクトでご一緒いただいているロート製薬の代表取締役会長である山田邦雄さんは、リバネス発行の冊子に掲載された「組織の『生命力』は、社外でこそ培われる」という記事の中で、「わが社が強くなるためのオープンイノベーション、という考え方では絶対にうまくいかない」という持論を語っています。

人がオープンにつながるのはもちろん良いことです。ただ、企業自体がクローズしたままの会社が結構あるんですよ。クローズドな組織がいくらオープンといっても、それは偽物のような気がするというのが正直なところです。

今までの日本は、企業が発展すれば国も豊かになる。さらに言えば、東証の時価総額が上がれば国がうまくいくというモデルでした。しかしこれはもう、間違っているのであって。僕が「生命力」と言っているのは、個々の生命力というよりも、むしろ生態系としての生命力が大事だと思うんですね。例えば、ライオンが自分の種を強大にすることのみを考え始めたら、生態系は破壊されます。人間はそれをやったから、今、こうなっているわけです。

同様に、大きな企業が、わが社を発展させるためだけの行動を取ると、社会としてそれはむしろ破綻する。だから、企業に縛られてはいけない。わが社が強くなるためにオープンイノベーションだと言っていたら、絶対、うまくいかない。

それより、むしろ人材をどんどん企業から送り出して、結びついていかないと。社員をがっちり抱えたままオープンにやれといったって、それは無理です（笑）。オープンイノベーション、コラボレーションと言われていますが、一企業を成功させたいが故であるならば、僕はむしろだめになるような気がします。

出典：創業応援 vol.28（2022年12月）

新貝さんと山田会長は、それぞれＪＴとロート製薬という日本を代表する企業の要職を担い、しかも両社を大きく成長させた立役者でもあります。そのお二人のベンチャー企業やオープンイノベーションに対する考え方は「さすが」の一言です。JTとロート製薬の持続的な成長が、まさに信頼と性善説をベースにした企業姿勢によってかたちづくられていることを雄弁に物語っているのではないでしょうか。

自社を○○業界に限定する必要はない

信用ではなく信頼。リスクヘッジではなくリスクテイク。企業が知識製造業へとシフトするためには、そのほかにもさまざまな変化に対応していく必要があります。中でも最大の変化は、おそらく「営業」の概念が変わることだと思います。

競争型のビジネスでは「いかにして売上をあげるか」が最優先であり、また最大の目的でした。これが共生型のビジネスでは「どうすれば課題を解決できるか」が最優先かつ最大の目的となります。

その上で、売上をあげるための製造業から、課題を解決するための知識製造業へと転換を遂げる必要があるわけです。事業の目的が変わり、そのための方法が変わるわけですから、以前と同じ考え方で「営業」を捉えるわけにはいきません。

さらに付け加えると、知識製造業においては、企業の行動範囲が大きく変わることになります。というのも、知識製造業では知識と知識の組み合わせによって、課題を解決するための「新たな知識」をつくりだします。そこで組み合わされる知識は、「近い関係のもの」であることもあれば、「全く異分野で遠い関係だったもの」であることもありますが、どちらがより大きなインパクトを生みだすかといえば、おそらく後者でしょう。従来は全く想定されていなかった組み合わせから、全く新しい知識が誕生するというのが、知識製造業の醍醐味でもあります。

したがって、知識製造業の新時代においては、企業はそれまでの慣習でつくられた「○○業界」というカテゴリーに行動範囲を縛られる必要がなくなります。自分たちの軸足はしっかりと確立させながらも、分野横断的に自由に行動範囲を拡大することで、自社の可能性を広げることができるのです。

例えば第一章の長谷さんの寄稿にもあったように、長谷虎紡績はリバネス・フォレスト・プロジェクトにおいて、「シードボールを強化するための繊維」というテーマに取り組んでいます。ここでは長谷虎紡績がもつ繊維の技術を森林再生のための一つのツールとして使っているわけですが、これを従来通りの繊維業や林業といったカテゴリーで語ることにどれほどの意味があるでしょうか。むしろ従来のカテゴリーに捉われることなく、常識も先入観も固定観念も越えたところに飛び込んでいくからこそ、その先に全く新しい可能性が拓かれていくのです。

こうしたスタンスへの転換を、社名変更によって内外に大きく宣言した会社も存在します。それが栃木県真岡市の町工場であるアオキシンテックです。１９９０年に創業した同社は、長く大手自動車メーカーの部品製造を主要事業として成長を遂げてきました。しかし、ご存知の通り、自動車メーカーはハイブリッドや電気自動車へのシフトという大きな変化の中にあり、海外への生産拠点の移転も続いています。

そんな環境の中で、自社の未来に大きな危機感を抱いた二代目の青木圭太さんは、「共生型ものづくり産業に挑む」という新たなビジョンを掲げ、２０２０年3月に「青木製作所」から「アオキシンテック（ＡＯＫＩ ＳＹＭＴＥＣＨ）」へと社名変更を行いました。共生を意味する「symbiosis」という言葉の一部を社名に掲げることで、同社がこれから進んでいく方向性を社内外に大きく宣言したのです。

同社のウェブサイトには、その意図を伝える次のようなメッセージが掲載されています。

「共生型ものづくり産業に挑む」

Ａｏｋｉが抱く「ものづくり」の哲学はユニークです。単にモノを作り上げるだけでなく、もともとあったものをオーバーホールして使い続ける、持続可能なモノの在り方を追求してきた会社こそが、Ａｏｋｉなのです。

大量生産・大量消費の時代が終わり、大廃業時代を迎えつつあるものづくり産業において、Ａｏｋｉは、大学・ベンチャー・異業種企業など多様な機関との連携を強化し、共生型のネットワークをもって、ものづくり産業の構造変革と、メンテナンスを含む新しいものづくりの在り方を追求していきます。

すべてのものが共に発展しよう――。その思いをビジョンに込めています。

それが大学の研究室から生まれたものであれ、紡績会社から生まれたものであれ、あるいは町工場の現場から生まれたものであれ、一つ一つの知識は何かしらのカテゴリーに所属するものであり、また何かしらの体系に紐づけることができます。いわば知識には明確な「出身地」があるわけです。

その一方で、知識の使い道には何の制約もありません。使われる場所がどれほど「出身地」から離れていたとしても、そこで課題を解決することができるなら、それで何の問題もありません。つまり知識はどんなかたちにも「使いこなす」ことができ、また「使いこなす」ことによってどんどん価値を発揮していくことができます。

つまり知識には、「この場所で生まれた」という明確な出発点があり、そして「こんな課題を解決する」という方向性が備わっています。この二つを合わせると、「**知識にはベクトルがある**」と表現することができます。

したがって、知識製造業を行っていく上では、「自分たちがもっている知識にはどのようなベクトルがあるのだろう」ということをしっかりと認識することが非常に重要です。自分の手元にある知識をよく理解することなしに、組み合わせる相手のことを考えることはできません。また同じように、相手のベクトルをきちんと理解しておかなければ、「きちんと組む」ことはできないでしょう。

御社・弊社ではなく仲間の関係に

話を営業に戻すと、知識製造業においては、取引先との関係性もこれまでとは大きく変わることになります。

これまでのビジネスにおいては、売る側と買う側という二つの明確な立場が存在し、両者の役割ははっきりと分かれていました。売る側は製品やサービスを提供する。買う側はその対価としてお金を支払う。これが従来の取引先との関係性です。

そして、そこでやり取りされているのは信用です。売る側は「この商品はきちんとしたものである」という信用を提供し、買う側は「決められた期限までに、決められた金額を支払う」という信用を提供する。取引が成立するためには、双方ともにどれだけ信用があるかが重要で、それを日々の取引実績として積み上げていくかたちです。

ただし、「同じ信用」を提供してくれる相手がほかにもいるなら、同じ取引先と付き合い続ける必然性は薄まります。あるいは、「もっと信用できる相手」が現れれば、ビジネスライクに取引先を変えていくことになります。
ここでは、両者の関係性はあくまで取引がベースであり、お互いの立場が交わることはありません。どちらかが売る側で、どちらかが買う側。両者の間には明確な線引きが存在します。つまりはこれが、「御社・弊社」の関係性です。

知識製造業の場合は、この関係性が根本的に変わります。まず、前述したように、相手とのコミュニケーションのベースは「信用」ではなく「信頼」です。最初の一歩は「一緒にやりましょう」から始まります。この時点で、両者の関係性は「取引先」とはニュアンスが異なるものになります。しっくりくる表現は、同じ課題に取り組む「仲間」ではないでしょうか。両者に役割の違いや、保有している知識や技術の違いはあったとしても、御社・弊社のような境界線はないはずです。

そして、課題解決が達成されるまで、関係性が途切れることはありません。仮に課題解決がうまく進まず、こう着状態に陥ったとしても、です。その場合はお互いに「いまはタイミングが違ったのかもしれません」ということで一旦プロジェクトを休止し、「機が熟すのを待ちましょう」となります。その後、プロジェクトの突破口になるような新たなテクノロジーが生まれるなどのきっかけがあれば、再び「一緒にやりましょう」

と声を掛け合うことができます。つまり知識製造業においては、プロジェクトを進める中で、相手との「関係性資産」を構築することができるのです。

こうして考えてみると、知識製造業における営業の役割が次第に浮かび上がってきます。「業を営む」と書いて営業ですから、「自分たちがなすべき業は何か」を考えることで、その輪郭が明確になってきます。従来の営業が「顧客の開拓」だとすれば、知識製造業においては「仲間の開拓」が営業になるはずです。

また、その場合に考えるべきことは、「どうすれば自社製品を買ってもらえるか」ではなく「**どうすればこの課題解決の仲間になってもらえるか**」ということになるでしょう。これを具体的な内容に落とし込むと、次のようになります。

・「誰に売るか」ではなく「誰を仲間にするか」
・「売り込む」ではなく「巻き込む」
・「プロダクト」ではなく「プロジェクト」
・「商品のメリットを説明する」ではなく「課題解決によって実現するビジョンを伝える」
・「お金を払ってもらう」ではなく「仲間として役割を担ってもらう」

最後の「仲間として役割を担ってもらう」の内容としては、さまざまなものが考えられます。

技術を提供する。知識を提供する。つながるべき相手を紹介する。プロジェクトの価値を社会に伝える。活動を継続するための資金を提供する、あるいは調達する……。

つまりこれは、ほとんど「一つの会社」だといえます。知識製造業においては、一般的な会社が備えている機能を、複数の組織に所属する人々が「一つの課題解決」のために持ち寄って、仲間として一緒にプロジェクトを動かしていくかたちとなります。

ここでもキーワードになるのは「組み合わせ」です。知識製造業で組み合わせが起こるのは、課題解決に直結するソリューションをつくりだすためだけではありません。課題解決にたどり着くための全体的なプロセスを一つのプロジェクトとして捉えて、その活動を前に進めるために必要なありとあらゆるものごとを組み合わせていくのです。

こうした「業」を営むのが知識製造業における営業だとすれば、従来の営業の概念をそのまま持ち込むわけにはいかないことがおわかりいただけると思います。では、知識製造業へとシフトするためには、どのような新しい概念が必要なのでしょうか。

リバネスでは、これを「**ブリッジコミュニケーション**」と呼んでいます。川で隔てられた両岸のまちのように、もとはそれぞれ別々に活動をしていた「異なる存在」の間に「橋をかける」ことで両者をつなぎ、その橋の上で活発な交流が生まれるような状況をつくりだすためのコミュニケーション、というわけです。そして、その役割を担う人を「**ブリッジコミュニケーター**」と呼んでいます。

ただし、リバネスは全社員が博士号もしくは修士号をもつ研究者集団であり、ものごとの理（ことわり）を追究するサイエンスの能力に大きな強みがあります。ですからリバネスの場合は、「サイエンスの力によって異なる存在に橋をかける」ことがブリッジコミュニケーションとなります。したがって頭にサイエンスをつけた「サイエンスブリッジコミュニケーション」がリバネスにとっての営業であり、これを担う社員は「サイエンスブリッジコミュニケーター®」ということになります。

リバネス創業2年目の2003年にインターンシップに参加し、2007年の入社後は常にこのサイエンスブリッジコミュニケーターの育成に携わってきた楠晴奈は、『誰もが「地球貢献型リーダー」になれる思考法』（リバネス出版）の中で、次のように書いています。

サイエンスブリッジコミュニケーターの目的は「課題解決」です。それには、解決すべき具体的な課題を発掘し、知識を編んでソリューションを生み出し、課題解決のために持続可能な仕組みを創り上げることが必要です。ヒト、モノ、カネ、知識がビジーに動き続ける活性状態とは、ビジネスそのものです。「ビジネス＝売上をあげること」という一面的な話ではなく、持続可能なシステムを創ることと捉えれば、多くの時間と人手を必要とする地球規模の課題解決に対して、ビジネスという方法は非常に親和性が高いと私たちは考えています。そのためにお金を稼ぎ、人を育て、システムの改良を続けるのです。

リバネスの場合は「サイエンスブリッジコミュニケーター」ですが、この「サイエンス」をみなさんの会社の哲学や本質的な強みに置き換えてもらえれば、それぞれに特徴的な新しいブリッジコミュニケーターが誕生するはずです。

仲間になるには共感から始めなければ

ここからは、営業改め「ブリッジコミュニケーター」にどのような能力が求められるのかを一つずつ考えていきましょう。まず前項の内容をまとめると、ブリッジコミュニケーターの役割は次のようになります。

もともとはそれぞれ別々に活動をしていた「異なる存在」との間に「橋をかける」ことで両者をつなぐこと。そして、その橋の上で活発な交流が生まれるような状況をつくりだすこと。

これでは話が抽象的すぎて、すっと理解することが難しいかもしれません。そこで試しに、いまあなたが実際に川岸に立っていて、向こう岸の人との間に橋をかけるためにはどうすればいいか、ということをイメージしてみてください。「橋をかけるようなコミュニケーション」という比喩的な表現を、疑似体験することで理解してみよう、というわけです。

最初にやるべきこととは、向こう岸に「おーい」と声をかけることであるはずです。では、それで振り向いた向こう岸の人と、あなたはどのような話をするのでしょうか。あなたは向こう岸のことをしっかりと理解した上で「ここに橋をかければ、きっと課題が解決できる」と思っていますが、どのような話をすれば相手にも「確かに橋は必要だ」と思ってもらえるでしょうか。

「ここに橋が必要だと思いませんか」

「実は、自分もそう思っていました。ぜひやりましょう」

残念ですが、こんなことは起こり得ません。あちらもこちらも、これまで橋がなくてもそれぞれに活動をしていました。別に橋がないからといって、何か具体的な困りごとがあるわけではありません。つまり、相手には橋が必要だという意識がない状態なのです。

また、そもそもの話として、あなたがどこの誰かも相手にはわかりません。「向こう岸の誰か」という程度の認識です。人間は、知らない相手の話を真剣に聞こうとは思いません。その相手がどのような意図でその話をしているのかがわからないからです。

ここで「何を話すべきか」というポイントが明確になりました。最初に話すべきことは、あなたの自己紹介です。あまりに当たり前でがっかりするかもしれませんが、初対面の人とのコミュニケーションはここからしか始まりません。

しかし、ただ漫然と自己紹介をしても、相手に伝わるとは限りません。なにしろ相手は「初めて話す相手」であり、同時に「異なる存在」でもあります。話し方には十分な注意が必要です。

普段接している人にしか通じない内容を話す。自分と同世代にしか通じない話をする。自分と同じ業界の人にしかわからない話題を出す……。

これでは、せっかくの自己紹介も意味をなしません。つまり、「自分は誰なのか」をはっきりと伝えるためには、「相手は誰なのか」をきちんと理解する必要があります。相手の背景をしっかりと捉えることができなければ、まっすぐに伝わる自己紹介をすることはできないのです。


再び「川岸の人」の目線に戻りましょう。自己紹介は無事に済ませることができたとします。次に伝えるべきは、いよいよ「橋をかけたい理由」です。

ここで成し遂げなければならないのは、あなたが考える「橋をかけたい理由」によって、相手を感動させることです。感動といっても、別に涙を流させたいわけではありません。しかし、相手の「心を動かす」必要があるのです。

あなたは橋をかけたいと強く思っています。そして、橋をかけるためには向こう岸にいる相手に協力をしてもらう必要があります。つまり、橋をかけることに合意をしてもらえなければ、実際に橋をかけることは決してできません。

ところが相手は、現時点では、橋をかけることに特に必然性を感じてはいません。そんな相手に「ぜひ一緒にやりましょう」と言ってもらうためには、その人の心を動かさなければなりません。

では、どうすれば人の心は動くのでしょうか。もちろんケースバイケースではありますが、いくつかのポイントを上げることは可能です。

・借りものではない、自分の言葉でまっすぐ話をすること
・一方通行にならないように、常に相手の反応を確かめながら話をすること
・「なぜ橋が必要なのか」という「なぜ」を話すこと。つまり何が課題なのかを話すこと
・その課題を解決することで何が実現するのか。つまり、あなたのビジョンを話すこと

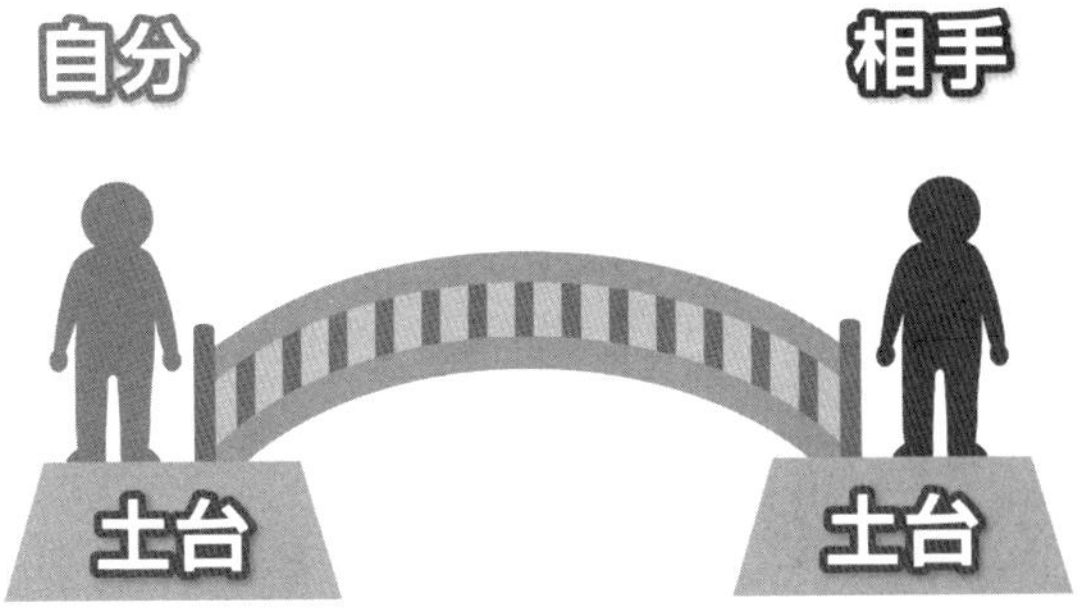

自分と相手の間に橋をかけるには、「土台」としての相互理解が必要

これらのポイントが、つまりは「ブリッジコミュニケーターに必要な能力は何なのか」の答えです。一言で集約するならば、「**共感的コミュニケーション**」の能力と表現することができます。

あなたと相手との間に共感をつくりだすことができなければ、「異なる存在」に対して「一緒にやりましょう」というブリッジをかけることはできません。あなたが掲げる課題に対して、仲間になってもらいたい相手にも「その通りだ。自分もその課題解決に取り組みたい」と共感してもらうところから、全ては始まるのです。

20年間の増収を生んだ子どもからの学び

実はリバネスは、この共感的コミュニケーションの重要性を子どもたちから学びました。その経緯は、次のようなものでした。

リバネスが理工系大学院生15人による学生ベンチャーとして始まったことはすでにお伝えした通りです。当初から「科学技術の発展と地球貢献を実現する」というビジョンを掲げていたわけですが、その壮大な目標と比較すると、当時の自分たちにできることは本当に限られていました。

それでも頭を振り絞って考えたのが「最先端科学の出前実験教室」というアイデアでした。小中高の学校現場にリバネスメンバーが訪問して、最先端科学の実験教室を行う、というものです。これがリバネスの祖業となりました。

ここに私たちがたどり着いた背景には、二つの社会問題がありました。一つは「子どもの理科離れ」。理工系大学院生だった私たちにとって、これは本当に由々しき問題でした。「こんなに面白いものがどうして受け入れられないのだろう」という感情的なショックもさることながら、次世代が理科から離れてしまうということは、自分たちが掲げた「科学技術の発展と地球貢献を実現する」というビジョンの将来の仲間がいなくなることを意味するからです。

もう一つの問題は、博士号をもつ若手研究者の就職先がないという「ポスドク問題」です。20年前の日本は、新卒一括採用と終身雇用がまだまだ強固に残っていました。そうすると、学部卒と博士学生では少なくとも5歳は年齢が違うということが、企業にとって大きなハードルになります。要するに博士学生は扱いづらいわけです。しかも、当時は就職氷河期のまっただ中でした。

これらの結果が「博士学生に働き口がない」というポスドク問題なわけですが、リバネスの創業メンバーにとって、これは「自分たちには将来の働き口がない」「友人たちにも未来がない」ということを意味します。他人事として傍観できるはずがありませんでした。

そこで考えついたのが、子どもの理科離れとポスドク問題を結びつけて、一挙に解決するアイデアである「最先端科学の出前実験教室」だったというわけです。

最先端科学は、学校の先生方がいちから学ぶにはハードルが高く、大きな負担になります。しかし子どもたちにとっては「これから実現するかもしれない未来」であり、ワクワクする対象です。科学を好きになってもらう絶好のきっかけになるはずです。そして、まさにその最先端科学を日々研究しているのが、理工系大学院生です。出前実験教室をビジネスにすることができれば、博士学生に就職先がないというポスドク問題は解決します。

このビジネスプランは、科学教育に関わる全ての人のためになる「三方よし」で、絶対にうまくいくはずだ……。当時の私たちは自信満々でした。

しかし、実際にやってみてわかったのは、子どもたちとのコミュニケーションがいかに難しいか、ということでした。

大学院生と中高生であれば年は近いですし、小学生相手でもそれほど離れているわけではありません。とはいえ、そこにはやはり世代の壁があり、感覚の違いが存在します。科学に対する理解度も異なりますし、教室にいるのは科学に興味がある子どもばかりではありません。

そんな場所で、大学院生が普段の研究室と同じコミュニケーションをしようとしても、子どもたちに伝わるはずがありません。さらに、良くも悪くも子どもたちは正直

サイエンスブリッジコミュニケーター®の原点となった出前実験教室

であり、つまらないものはつまらないとはっきりと口に出してきます。

「どうすれば目の前の子どもたちにワクワクしてもらえるのか」

「どうすれば科学の面白さがわかってもらえるのか」

「どうすれば自分たちの思いに共感してもらえるのか」

そこには「異なる存在」に対して橋をかけるとはどういうことか、という本質がありました。ここから、ブリッジコミュニケーションの概念や共感的コミュニケーションの考え方が生まれたのです。

リバネスでは、２００２年の設立から20年以上にわたって、子どもたちから学んだブリッジコミュニケーションをあらゆる場面で続けてきました。その結果、リバネスは設立以来、ずっと増収を続けています。東日本大震災が起きた２０１１年に一度減益した以外は、今回の新型コロナ禍の期間も含めて、途絶えることなく成長を続けています。大きな変化にきちんと対応することができているという事実が、子どもたちから学んだことの価値を物語っています。

子どもたちの全く遠慮のない対応と、そして真っ直ぐにこちらを見つめてくる眼差し。そこから学ぶべきことは山のようにあります。経験を積み重ねる代わりに、つい自らの原点を忘れがちになる大人にとってはなおさらです。私は、**あらゆる企業にとって次世代の教育に関わることは大きな意味を持つ**と考えています。

駆け引きではなく、課題解決のための交渉

しかし、共感的コミュニケーションだけでは課題解決はまだ道半ばです。「一緒に橋をかけましょう」という合意ができたに過ぎません。いわば折り返し地点を回ったところで、橋を実現するための本番はいよいよここから始まります。この先は「どうやっ

て橋をかけるか」という具体的な内容を詰めていく必要があります。

例えば前述した出前実験教室でいえば、その趣旨にはどの先生も賛同していただけます。しかし、実際に実施するとなると、乗り越えなければならない壁がいくつも出てきます。すでに固まっている年間の授業スケジュールの中にどう組み込むのか。どの教室を使うのか。実験に必要な機材はどうするのか。費用はどう考えるべきなのか。支払い時期はどうするのか……。

こうしたことを校長先生や現場の先生と一つ一つクリアしていかなければ、出前実験教室を実現することはできません。このような場面で必要になるコミュニケーションのことを、リバネスでは「**交渉的コミュニケーション**」と呼んでいます。

ただし、交渉とはいっても駆け引きをするわけではありません。知識製造業は競争型のビジネスとは違います。「競合他社に勝つために少しでも自社に有利な条件を引き出す」といった類の交渉は必要ありません。

しかし、共生型のビジネスであっても交渉は必要不可欠です。なぜなら、知識製造業では「異なる存在」と一緒になってものごとを進めていくからです。異分野の人々、異業種の人々、あるいはシンプルに他社の人々。その属性は場合によってさまざまですが、「異なる存在」と一緒に組む以上、お互いの利害が１００％一致するなどということはあり得ません。

もう一つ別の事例を紹介すると、例えばテックプランターでは、リバネスは新しいベンチャーを発掘するにあたって、全国の大学に所属する先生の研究内容を綿密に調査した上で、「この研究を事業化して社会に実装しませんか」という声をかけるところから始めます。だからこそ、他の場には絶対に出てこないような斬新なベンチャー企業を発掘することができるのです。

しかし、そこで声をかけた先生が「自分の研究を事業化したい」と思っているとは限りません。むしろ、そんな意識をせずに大学で研究を続けているのが普通です。ですから、リバネスの声かけが「大きなお世話」になることもめずらしくはありません。

それでも私たちは、その先生の研究が必ず世界を変えるはずだと信じています。だからこそ、諦めずに交渉を続けます。「こういう方法ならどうですか」「こういう相手と組むかたちであればどうですか」「事業化をすることで、研究の速度は絶対に上がるはずです」といった説得を試みます。「先生が技術顧問になるかたちで、研究室の若手にベンチャーの経営を任せるのはどうですか」という提案をすることもあります。

どこまでいっても、お互いの利害が完全に一致することはありません。それでも、先生は研究として、リバネスは社会実装として、同じ課題解決を目指しているというゴールを共有することはできます。

そうであれば、ものごとを前に進めるために、お互いにとって最も適した方法はどのようなものなのか。お互いに譲ることができないのはどの部分で、どの部分であれば妥協することが可能なのか。これを一つ一つ交渉することで、少しずつではあっても、課題解決を前に進めていくことができます。

交渉をせずに済むなら、そのほうが嬉しいのは誰でも同じです。しかし、交渉することを避けたばかりに、無理をしながらプロジェクトを進めて、ある段階になって「これ以上はもう続けられません」となるのであれば、それは持続可能とはいえません。課題解決を絶対に達成するためにこそ、やはり交渉から逃げてはいけないのです。

また、知識製造業には課題解決という共通のゴールがあるからこそ、交渉も感情論にはなりません。どうすればプロジェクトを前に進められるか、という共通認識のもとで建設的な議論をすることができます。

その意味でも、やはり「御社・弊社」で知識製造業は行えません。御社・弊社という一線を引いた関係性で、お互いに腹を割った議論はできないからです。知識製造業に取り組むためには、同じビジョンを目指す仲間になるところがスタートです。その上で、最も早く課題が解決できるように、お互いの状況をよく把握して「最適化」を行うこと。これが交渉的コミュニケーションの本質です。コミュニケーションによってコンフリクトを乗り越えるからこそ、新しいものが生まれてくるのです。

ブリッジコミュニケーターは、共感的コミュニケーションによって「思い」の橋をかけます。そして交渉的コミュニケーションによって「事業」の橋をかけます。この二つの橋の上を、ヒト、モノ、カネ、情報、そして知識が活発に行き来するようになります。**知識製造業は、共感的コミュニケーションと交渉的コミュニケーションという二つのブリッジコミュニケーションによって駆動しているのです。**

第三章

イノベーションの種を生む研究者の考え方

イノベーションとは「ちりも積もれば」である

これからの日本は、下り坂になることが目に見えています。普通に考えて、市場の成長は見込めません。そうした状況では、「これまで通りのことを続けていく」という経営スタイルでは生き残ることができません。下りのエスカレーターにそのまま立ち止まっているようなものだからです。

その打開策としてたどり着くことになるのが、「イノベーションを生みださなければ」という発想です。しかし実際には、イノベーションという言葉ほど具体的な行動につながりづらいものはありません。

というのも、イノベーションには「明確な実態」がないからです。その意味は、イノベーションが起こる経緯を追うことで明らかになります。順番としては、おおよそ次のようなものになるでしょう。

まず課題が存在する。その課題を解決するために、新たな知識をつくりだす。そして課題が解決し、世界が「少し」変わる。その「少し」が積み重なることで世界的なうねりが生まれる。結果として、社会から「イノベーションが起こった」と認識されるようになる――。

つまり、**イノベーションとは「課題解決の結果」**なのです。どこかにイノベーションという具体的なものがあるわけではありません。そうではなく、課題解決を少しずつ積み重ねていった結果としてたどり着く「状態」がイノベーションです。

ですから個人的には、企業が「イノベーション事業部」のような部署をわざわざ立ち上げることには違和感があります。それよりも、例えば「うちの会社の製造事業部はイノベーションを起こし続けている」というほうが正しい在り方だと思いますし、それこそが組織全体の強靭さを示すバロメーターなのではないでしょうか。

企業がイノベーションを特別なものとして捉えすぎてしまうのは、そこに適切な日本語訳がないからだというのが私の持論です。

イノベーションとは革新である。イノベーションとは画期的な新規事業である。イノベーションとは世界を変えることである……。いずれも言葉が大きすぎて身構えてしまいます。

課題解決を積み重ねた結果がイノベーションなのであれば、日本にはこれを表現するぴったりなことわざがあります。「ちりも積もれば山となる」です。私としては、イノベーションの訳語としてぜひこれを推したいところです。

イノベーションとは「ちりも積もれば山となる」のことである。こう考えることができれば、「まずは小さなちりから始めよう」という感じで、誰でも気軽に足を踏み出せるのではないでしょうか。

少し話は変わりますが、２０２２年にＪＲ東日本は鉄道開業１５０周年のキャンペーンを行いました。１８７２年に新橋と横浜を結ぶ日本初の鉄道が開業したことを記念したものです。この話を耳にして私が思ったのは、現代では当たり前のように日本中に張り巡らされている鉄道網にも、「最初の一歩」があったということでした。

１８７２年に日本初の鉄道を、そして１９１４年に東京駅を開業し、その後日本の至るところに線路を通すことによって人々や物資を運ぶと共に、いわばそこから生まれる「国としてのエネルギー」を日本中に循環させた。これは紛れもないイノベーションです。

この全てを一からつくることを考えると、あまりの規模の大きさに気が遠くなります。しかし、これもまた一つずつの「ちり」を積み重ねていった結果であることに変わりはありません。たかが「ちり」、されど「ちり」なのです。自信を持って小さな「ちり」をつくりにいこうではありませんか。

世界初を生み出す研究者のルール

イノベーションと同様に、「世界初」もハードルが高い言葉です。常人には手が届かないもの、あるいは、天才だけが成し遂げることができるもの。そんなイメージを抱きがちです。

しかし、世の中には世界初をやり続けることを義務付けられた職業が存在します。それが研究者です。最初に断っておきたいのですが、私は研究者が天才だという話をしたいわけではありません。リバネスは全社員が博士号もしくは修士号をもつ研究者集団ですが、その中に天才は一人もいません（ただし、変人はいるかもしれません）。むしろ凡人だとしても、世界初を成し遂げることはできるし、そのための方法論があるということをお伝えしたいと思っています。

まず前提として、研究者という職業は「人と同じ」であることが許されません。

世界で初めて○○を発見した。世界で初めて○○の構造を解明した。世界で初めて○○の機能を開発した。これが研究者の仕事です。どこかの誰かと同じことをしているようでは研究者にはなれません。

ですから、「Aさんの主張は極めて正しいと思います。私の考えもAさんと同じです」というスタンスでは研究者失格です。日常的なコミュニケーションのマナーとしては合格ですが、これでは世界初にたどり着くことはできません。

「Aさんの主張は正しいと思います。ただ、○○については他の可能性も考えられます。そこで私は、この○○について別の視点から研究を進めることにしました。その結果、新たな方向性を確認することができました」

敬意があるからこそ否定し、否定することによって新たな可能性を付加し、先行研究をさらに一歩前進させることで世界初を成し遂げる。これが研究者の正しいマナーです。その否定が本質的なものであればあるほど、そして否定の対象がすでに評価を確立したものであればあるほど、その研究はチャレンジングなものとなり、そこから生まれるインパクトも大きくなります。

文部科学省『科学技術指標2022』によれば、2022年の時点で日本の大学院には26万2千人の学生が在学しています。これだけの数の若者が、世界初を成し遂げるための研究に日々取り組んでいるわけです。ということは、研究者の考え方には世界初にたどり着くための何かしらのルールがきっとあるはずです。そして、それは実際に存在しますし、この考え方を身につけることができれば誰にでも実現可能なはずです。リバネスでは、これを「**研究者的思考**」と呼んでいます。

では、研究者的思考とは何か。それは「問い、仮説、検証、考察のサイクルを回す」ということです。このサイクルを回すことなしに、世界初にたどり着くことはあり得ません。全体を簡単に説明すると、次のようになります。

最初の「問い」では、自分にとって切実に感じられる問い、その解明に情熱を傾けられる問いを立てることが大事です。問いが決まったら、次に仮説を立てます。それが確かであるかどうかはわからない、でも、多分こうなるであろうという仮の結論を設定するわけです。

仮説を立てたら、その仮説が正しいかどうかを確認するためにはどんな手法、どんな手順を取ればいいかという研究の計画を立てます。その計画にもとづいて、実験したり、調査したりすることで仮説の検証を行います。そして検証を通じて得た結果をふまえて、自分が立てた仮説が正しかったかどうかを考察する、という流れになります。

一般的には、研究者といえば「実験をする人」というイメージが強いかもしれませんが、それは研究のプロセスの一部にすぎないということがおわかりいただけると思います。

これは私の持論なのですが、真の研究者には必ず**哲学とビジョン**があります。哲学とは、まさに「問い」を持ち続けるということであり、ビジョンとは、その問いの先に実現したい世界があるということを意味します。研究者は自らの哲学を起点として、そこからはるか遠くに見える自らのビジョンを実現するために、実験を通じて一つずつエビデンスを積み重ねていく存在なのです。

エビデンスがあるからこそ、個人の哲学とビジョンを世界の人々と共有することができます。個人の哲学とビジョンを、世界中の誰もが再現できるようになります。科学には再現性が必要だというのは、そういうことです。そして同時に、哲学とビジョンがあるからこそ、そのエビデンスには大きな価値が生まれるのです。

博士号を取得した研究者は、Ph.D. という称号を名乗ることを許されます。Ph.D. とは、英語の Doctor of Philosophy の略称です。つまり博士号とは、「この研究者には哲学がある」と認められた証なのです。真の研究者には必ず哲学とビジョンがあるという私の持論は、世界中の研究者に「その通りだ！」と賛同してもらえるはずです。

小さく、細かく、多く。できるだけ早く試してみる

研究者の思考で特徴的なのは、「検証したら仮説が誤りだとわかった場合」の受け止め方です。仮説の通りにいかなかったのですから、失敗といえば失敗です。しかし研究者は「その仮説が間違いだということがわかった」と前向きに捉えます。失敗を失敗で終わらせてしまえば、それは単なる失敗にすぎません。しかしその失敗で学んだことを生かして、もう一度仮説を立て直し、再チャレンジをすれば、着実に成功に近づくことになります。

そもそも最初に立てた仮説が100％正しいなどということはほとんどありません。ですから、仮説、検証、考察のサイクルをぐるぐると回していくことが大事なのです。そして研究者はこのサイクルをできるだけ多く回すために、はじめの一歩を小さく踏

み出します。最初から世界初の成功を目指して、膨大な時間をかけて入念な準備をするようなことはしません。

キーワードは「**小さく、細かく、多く**」です。まずは小さく始める。そのぶん、ディテールにはこだわって、プロセスを細分化してつくり込む。細かくやるからこそ、フィードバックを明確に行うことができる。そして改善の回数を多く重ねることで、質を上げていく。この積み重ねの先に、世界初が見えてくるわけです。

また、もう一つの大事な点が「**できるだけ早く試してみる**」という姿勢です。100点の状態が見えなければ試せないというようなスタンスでは、結局のところ「小さく、細かく、多く」のプロセスを回すことができません。50点の段階では早すぎて時間の無駄になってしまうかもしれませんが、60～70点の感覚まで来ているなら、一度試してフィードバックをかけるほうが結果的に早くゴールにたどり着くことができます。

したがって結論としては「小さく、細かく、多く。できるだけ早く試してみる」という姿勢が、世界初にたどり着くための研究者のルールということになります。

さて、こうした研究者的思考のなかでも、イノベーションを生み出すために最も重要なことは何でしょうか。それは、「どうしてだろう」「なぜだろう」という個人的なクエスチョンから全てのものごとをスタートさせる、ということです。このスタートを間違えてしまっては、目的地にたどり着くことは極めて難しくなります。逆にいえば、適切なスタートさえ切ることができれば、後のことは調整しながら進めることができます。

ここからは、しばらく「研究者的思考におけるクエスチョンとは何か」について説明をしていきます。読者のみなさんは、「ビジネスに当てはめるならこれはどういうことだろう」と頭の片隅に浮かべながら読み進めてみてください。きっとさまざまな発見があるはずです。

あなたのQuestionはなんですか

What is your question?

少し昔話をさせてもらうと、私は学生時代に何度か世界トップレベルの研究者と会話をしたことがあります。生物学のアンドリュー・ベンソン先生や、分子生物学のエドウィン・サザン先生など、その領域の研究者からすれば「うらやましい！」と言われること間違いなしのスーパースターです。

そんな先生方に必ず聞かれたのが、〝What is your question?〟という質問でした。ホワット・イズ・ユア・クエスチョン。あなたのクエスチョンはなんですか。

天才研究者がフランクに語りかけるこの言葉に、私は「なんてかっこいいんだ」と心の底からしびれました。そうか、クエスチョンか。世界のトップを走る研究者にとっても、大事なのはクエスチョンなのか、と。

その後わかることになるのですが、この〝What is your question?〟は英語圏の研究者にとっては挨拶のような言葉です。日本語に訳せば、堅い表現なら「あなたはどんな研究に取り組んでいるんですか」。もう少しフランクにすると「君はどんなおもしろい研究をやってるの？」というところでしょうか。

ただ、確かに意味は合っているのですが、日本語ではどうもしっくりきません。私の中では、やはり〝What is your question?〟なのです。研究者は単に「研究をしている人」ではありません。「**クエスチョンを抱き続ける存在**」であるべきなのです。

なぜなら、そこにこそ研究者の原点があるからです。全ての研究者の原点は好奇心です。そして好奇心とは、「身の回りのあらゆるものをふしぎに思える力」と言い換えることができます。

「これは一体なんだろう」

「なんでこういう形なんだろう」

「どうしてこんな色をしているんだろう」

つまり、身の回りのあらゆるものに対してクエスチョンをもつこと。ここから全ての研究が始まります。したがって、あらゆる「世界初」もここから始まります。「なんだか子どもっぽい考えだな」と思うかもしれませんが、むしろそれでよいのです。好奇心を持つことの大切さは、子どもでも大人でも変わりませんから。

例えば研究者は、興味の対象が特定の領域だけに凝り固まってしまうタコツボに陥りがちですが、好奇心にはそんな自らの視野の狭さに気づかせてくれるという効果もあります。

ただ、クエスチョンをもつだけでは、ものごとはその先に進んでいきません。

「空はどうして青いんだろう。ふしぎだなぁ。でもまあ、いいか」

これでは何も始まりません。「まあいいか」で終わってしまうと、そこから先にはつながっていかないのです。先に進むためには、「ちょっと気になるから調べてみよう」というように、「ふしぎ」を「興味」に変換して、行動を起こしていく必要があります。最初に抱いたクエスチョンを、自分自身で深めていく必要があるわけです。

リバネスでは、この考え方を「**身近なふしぎを興味に変える®**」というキャッチコピーで表現しています。英語にすると〝Turning Everyday wonder into Scientific Adventure〟となります。実は、これがリバネスの出前実験教室のコンセプトでもあるのです。

必ず一次情報を取りにいく

あるものごとに対するクエスチョンが好奇心から興味へと変化し、そのことについて調べたり考えたりする行動が積み重なっていくと、最初はモヤモヤとしていたクエスチョンが凝縮されていき、次第に輪郭がはっきりとしてきます。

ここで決定的に重要なのが「**一次情報を取りにいく**」ということです。繰り返しになりますが、研究者の仕事は世界初を成し遂げることです。そして本書でこうして研究者的思考を取り上げているのは、企業が課題解決を通じたイノベーションを成し遂げるためです。

世界初やイノベーションを成し遂げるためには、「自分の軸」が必要です。自分だけの考えをぶれずに持ち続けなければなりません。他人の目線や意見に惑わされてしまった時点で、世界初は手からこぼれ落ちてしまいます。

では、どうすればぶれずに自分を持ち続けることができるのか。そのためには、何であれ自分の目で見て、自分で判断する癖をつけることです。五感を使って、自分で一次情報を得るということです。

世の中には、誰かが加工したり、編集したりした情報が溢れています。そうした二次情報、三次情報にいっさい耳を貸さないというのは現実的ではありません。しかし、例えばネットやメディアに溢れる情報を活用する場合も、そこに書かれていることを鵜呑みにするのでなく、直接現場に足を運んだり、当時者に会って話を聞くなどして、真偽を確かめるようにしましょう。

例えそれが無理な場合でも、必ず自分の頭で考え、検証するようにしましょう。そういった努力を地道に積み重ねることで、ありふれた情報が自分だけの知識になっていくのです。その意味では、一次情報を得るために最も効果的な方法は、「思いついたら行動する」ということになります。

みなさんがイメージする研究者といえば、もしかすると「ずっと研究室にこもって顕微鏡を覗いている」というものかもしれません。その研究者は、確かに物理的には動いていません。しかし実際には、顕微鏡を食い入るように覗き込むという行動によって、まさに自分だけの一次情報を得ようとしているのです。とにかく自分の五感を信じる。これが研究者です。

そうやって一次情報を積み重ねていくことによって、ある瞬間に「もしかして、これは本当はこういうことなのではないか」というオリジナルなコンセプトが生まれることになります。これはコンセプトと呼んでもいいし、概念と呼んでもいいし、思想と呼ぶこともできるかもしれません。どうしても抽象的な表現になってしまいますが、とにかく少しずつクエスチョンの輪郭がはっきりしてきて、その中心に揺らぐことのない核としてのコンセプトが出来上がるというイメージです。

コンセプトまでたどり着くことができれば、次に目指すのは仮説です。コンセプトの地点からさらに深く潜っていき、そのコンセプトが成立するための具体的な要素を探すのがこの段階です。「○○が××だとすれば、それを成立させている△△があるはずだ」という仮説を探すわけです。

ただ、仮説は一つ見つかればそれで終わりというわけにはいきません。頭の中で一つの仮説が生まれるたびに、もう一人の自分がそれを否定する、というやりとりが繰り返されることになります。

「こういうことか?」「いや、違う」「じゃあ、これはどうだろう」「これもやっぱり違う」「もしかして、こういうことかな」「さっきよりは近づいたけど、やっぱり違う」

そうして試行錯誤を繰り返し、ついに「これだ!」という仮説を見つけることができれば、それがすなわち**真の課題＝ディープイシュー**へと変換されることになります。

「○○が××なのは、△△が関わっているはずだ。△△を□□にすることができれば、○○の問題を解決できるはずだ。つまり……○○の真の課題は□□だ!」

いかがでしょうか。最初は子どもっぽいものだったクエスチョンが、そこから深く深く潜っていくことで、真の課題へと変わっていく流れをおわかりいただけたでしょうか。好奇心から興味へ。興味からコンセプトへ。コンセプトから仮説へ。仮説から真の課題へ。そしてディープイシューへ。

私にとってのクエスチョンは、この一連の流れを包摂している概念です。そこには濃淡のグラデーションがあって、だからこそ深めていくことができるし、質を高めていくこともできます。

そうやって深く潜ってようやく発見した課題だからこそ、そこには「ついにたどり着いた！　これこそが課題だ！」という大きな喜びがあります。また同時に「この課題を解決したい！」という情熱＝Passionも生まれることになるわけです。

このような個人のQuestionとPassionのことを、リバネスでは「**個のQとP**」と呼んでいます。これこそが、全てのイノベーションの種となるのです。

一般的な話ではなく、個人的な話をしよう

なぜ「個のQとP」がイノベーションの種となるのでしょうか。それは、「個のQとP」

がまさに「個人的なもの」であるからです。

前述したように、クエスチョンは「なんだろう」という好奇心による始まりから、「これだ！」という課題の発見に至るまで、その全てのプロセスが個人的な感情によってドライブされています。

個人的だからこそ「なんだろう」とふしぎに思い、個人的だからこそ興味が湧いて調べてみたくなる。その後のプロセスも、個人的な知識に照らし合わせながら進んでいくからこそ、深く潜っていくことができる。そうやって発見したクエスチョンだからこそ、世界初を目指すテーマとして掲げられるだけのオリジナリティが備わるわけです。

これと対照的な結果になるのが、「課題」から始めようとするプロセスです。イノベーションのプロセスにおいて、「クエスチョンから始める」と「課題から始める」は完全に似て非なるものです。

なぜなら、課題から始めるプロセスは、どうしても「一般性」に引きずられてしまうからです。

「一般的に考えて、いま解くべき課題は何か」

「一般的に考えて、なぜそれを解く必要があるのか」

「一般的に考えて、それを解くことは求められているのか」

一見すると、これらの問いは正しいように思えます。しかし、私はこの一般性こそが課題解決を阻害する大きな原因だと考えています。

というのも、こうした課題設定には大きな問題が2つあります。一つは、課題が「自分ごと」になっていないことです。人間は、自分ごとではない課題の解決に情熱をもつことはできません。もう一つは、課題が個人の興味にもとづいていないことです。個人的な興味が紐づいていない課題では、考えを深めていくための「足掛かり」をつかむことができません。情熱が不足していて、考えを深めることもできない。これでは、満足のいく結果を得られるはずがありません。


日本人はどうしても正解を求めてしまう傾向が強いため、こうした一般性の罠にはまりがちです。また、課題という日本語自体にも、「一般性のあるものでなければならない」というニュアンスがあるように思われます。昨今の「役に立たないものは必要ない」という風潮も、同じく一般性を求める傾向に根差したものだといえるでしょう。

しかし、本当に新しいものごとを生みだそうとするのであれば、**最初の一歩は個人として踏み出す**しかありません。全ての課題の本質は「それを発見した本人にとって価値があるかどうか」であって、「一般的な価値があるかどうか」を最初から考える必要はないのです。

そもそもの話として、誰も成し遂げたことのない挑戦は、既存の常識を覆すための取り組みであるはずです。そこに最初から一般的な価値があるとすれば、それは挑戦が常識の範囲内にとどまっているということではないでしょうか。

繰り返しになりますが、真の課題とは個人のクエスチョンを深めていった結果としてたどり着くものであって、すでに社会に存在している一般的な課題の中から「探す」ものではありません。

とはいえ、現実的には常に個人のクエスチョンからものごとを始められるわけではありません。ビジネスに携わる人であれば「自社が解決すべき課題」であったり、若手研究者であれば「教授に設定されたテーマ」であったりというように、日常的にはそのタイプの課題設定のほうが多いかもしれません。この場合はどう対処すればよいのでしょうか。

実は、クエスチョンを追究する力を持つ人は、すでに存在する課題や他人から与えられた課題に取り組む場合であっても、それを深めていくことができます。そうした場合にも「なぜだろう」「どうしてだろう」とふしぎに思う力があれば、課題を個人的なものとして扱い、自分の興味に照らし合わせながら深めていくことができるのです。

また、「簡単にわかった気にならない」というスタンスも大切です。「わからない」は、「わかりたい」という意欲を引き出し、「わかろうとする」ための行動を促してくれますから。

現代は激動の時代で、正解のない時代で、なおかつ新たな知識によるイノベーションが求められる時代です。イノベーションが課題解決によってもたらされるとすれば、それを成し遂げられるのは「課題を発見した人」であるはずです。

ですから私は、全ての人が個人的なクエスチョンを追求するべきだと思っています。クエスチョンを抱き続ける研究者的思考を身につけた人が増えるたびに、この世界に新たな課題が発見され、その解決が始まるからです。

一般的な話ではなく、個人的な話をしよう。これがイノベーションを生みだすための合言葉です。

ネットやAIに新しいアイデアは落ちていない

個人的なクエスチョンを深めていくことが大切だとして、次にポイントになるのは「では、どうやって深めていくのか」という具体的な方法です。

ある地点からある地点へと思考を深めていく過程は、必ずしも直線的に進んでいくわけではありません。同じ場所をグルグルとさまよった末に、ふと新たなアイデアが浮かんで、気がついたら「ジャンプ」していた、という感覚が近いのではないかと思います。

このアイデアがポンポンと出てくればよいのですが、その産みの苦しみから逃れることはできません。ただ、アイデアを発想するための方法を工夫することはできます。すでに紹介してきたものと重複する部分もありますが、リバネスには発想方法についてのあるルールが存在します。

それは、最初のうちは「ネットを見ない」ということです。ChatGPTが世界を席巻している昨今の状況をふまえると、ここに「AIは使わない」を足してもよいかもしれません。ではどうするかというと、とにかく「自分の頭で考える」のみです。その上で「これはいけそうだ」と思いついたアイデアを、「いや待てよ」と今度は徹底的に否定してみる。そうやって**どれだけ否定しても「これならいけるはず」と確信できるもの**が残ったとしたら、それこそが「新しいアイデア」です。

つまり、リバネス流のアイデア発想法とは

①ネットは見ない。自分の頭で考える
②思いついたアイデアを全否定する
③それでも残るアイデアを探る
というプロセスに整理することができます。

もう少し詳しく説明してみましょう。最初の「ネットを見ない」というのは、「いまどき何を言っているんだ」と意外に思われるかもしれません。

しかし、思いつきのアイデアというのは、そのほとんどが無意識の刷り込みによるものです。人間の感性というのは信用ならないもので、本人は「すごいことを思いついた！」と盛り上がっていたとしても、実際にはどこかで見聞きした記憶を無意識に引っ張り出してきただけだったりします。

ですから、その時点でネットを見ると「あ、先にやってる人がいる」となり、そこで考えることをやめてしまいがちです。これは実にもったいないことです。人間の思考力が真に発揮されるのは、ここからが本番ですから。

ではどうするかというと、自分の頭で考えたアイデアを「いや、待てよ」と今度は徹底的に否定していきます。

「これ、本当に面白いのか」

「だったら他の誰かがやっているはずだろう」

「じゃあ、なんで実現していないんだ」

「もしかしたら致命的な欠点があるんじゃないか」

こんな具合に思いついたアイデアをこれでもかと否定して、比喩的にいえば発想した視点とは真逆の視点に一度立ってみるわけです。

その上で、「とはいえ」「とはいえ」「とはいえ」と少しずつもとの場所に戻っていくという思考のプロセスをたどってみます。

「とはいえ、こっちの考え方ならいけるはずだ」

「前例がないのは、この部分が欠けていたからだろう」

「この障壁をクリアすれば、実現性が出てくるはずだ」

「よし、アプローチの方法を考え直してみよう」

そうすると、往々にして最初の発想とは少し異なる場所に真の着地点があった、ということになります。そして、この段階までたどり着いたところでネットで調べてみると「お、まだ誰もやってない」「本当にいけるかも」となるのです。

パッと思いつく程度のアイデアは、多少の違いはあったとしても、だいたい他の人も思いつくものです。また、「そんなの面白くないよ」と簡単に否定する人もよくいます。しかし、思いついたアイデアを**真逆の視点から考え尽くして着地した「ど真ん中」**には、意外と誰もいないものです。その思考の精度が高ければ高いほど、世界初のアイデアへと近づいていく、というわけです。

新たな発見は常に否定から生まれる

いま紹介した発想法は、実はリバネスのオリジナルではありません。研究者であれば、特に理系の学生であれば、大学院どころか学部の卒業論文の段階から教授に嫌といううほど言われている内容のはずです。

「君たちの発想は、まだまだ陳腐です」

「まずは自分のアイデアを否定することから始めなさい」

私が学生だった20年前に比べると、最近はもう少し柔らかい表現になっているかもしれませんが、いずれにしても先生方が伝えようとしていることは同じです。

「研究者たるもの、まずは否定から入れ」というわけです。

ですから教授は研究者的思考のトレーニングとして（あるいは自らに染み付いた研究者の癖として）、若い研究者の考えをことごとく否定していきます。

「確かにそうかもしれませんが、他の可能性もあるのではないですか」

「あなたが根拠としている先行論文の妥当性は確認したのですか」

「よい結果が出たというけれど、実験の環境におかしなところはありませんでしたか」

「別の方法でも証明できなければ、それが正しいとはいえません」

二十歳そこそこの若者にとって、こうしたやりとりは面白いものではありません。ただ、そうやって否定され続けているうちに、教授に言われるよりも先に、自分で自分の考えを否定的に見ることができるようになってきます。自分の中のもう一人の自分と、思考の壁打ちをするような感覚が身につくのです。

この段階になると、自分一人でも精度の高い発想ができるようになります。こうして、かつての短気な若者は、自分がいつの間にか一人前の研究者としてのスタート地点に立っていることに気づくことになります。

創造的なアイデアは「否定」なしには生まれません。むしろ、否定するポイントが多ければ多いほど、平たくいえば誰もがバカにするようなアイデアであればあるほど、最後まで諦めずに考え抜くことができれば、大きなインパクトをもたらすことができます。

そういったアイデアは、**「誰も本気で考えたことがない」＝「画期的である」**という可能性が高いからです。

ややこしい表現になりますが、新しいアイデアを発想するためには「否定することを肯定的に捉える」ことが極めて重要です。そして、これこそが研究者的思考のベースでもあります。「私もAさんと同じ考えです」のスタンスでは研究にならないと前述したように、新たな発見は常に否定から始まるのです。

知識の本当の価値は自分だけではわからない

ここまで説明してきた研究者的思考のポイントをまとめると、次のようになります。

・問い、仮説、検証、考察のサイクルを回す
・小さく、細かく、多く。できるだけ早く試してみる
・個人的なクエスチョンからものごとをスタートさせる
・身近なふしぎを興味に変える
・必ず一次情報を取りにいく
・個のQとPを起点に、ディープイシューを発見する
・自分のアイデアを自分で否定し、真逆の視点から考え尽くす

この7つのポイントを常に実践することができれば、必ず「新たなアイデア」にたどり着くことができるはずです。しかし、新たなアイデアの誕生が、そのまま「世界の変革」につながるわけではありません。そこには、絶対に欠かすことのできない一つの条件があります。そのアイデアを「**頭の外に出す**」ということです。

最近ではイノベーションのことを「0から1を生みだす」という意味でゼロイチと言ったりもしますが、0を1にするためには外に出すしかありません。頭の中にしまい込んだ状態では、0はいつまで経っても0のまま。どれほど価値のあるアイデアだとしても、その状態では何一つ生みだすことはできません。

なぜこんな当たり前のことをわざわざ書くのかというと、実際にはそういうことがよく起こるからです。

例えば「このアイデアはそう簡単には他人には教えられない」ともったいぶるタイプの人や、「本当に理解できる人にしか伝えたくない」と出し惜しみをするタイプの人が、みなさんの周囲にもいるのではないでしょうか。

この手の人々は、結局のところ大きなインパクトを生みだすことはできません。なんだかんだと理由をつけて、最初の一歩を踏み出すことができないからです。

また、これは特に日本に多いのですが、「謙虚な人」もなかなか頭の中のアイデアを外に出そうとしません。リバネスが普段お付き合いをしている大学の先生方にも、このタイプがたくさんいます。

「いやいや、これはほとんど自分の趣味でやっていることでして」

「世間からすれば、私の研究なんて本当にくだらないことなんですよ」

ところが実際には、こうしたタイプの先生は、かなりの確率でとんでもない研究をしているものです。研究にのめり込んでいる先生ほど、ラボにこもってひたすら作業に没頭していますから、「自分の知識が世の中にどれほど価値があるのか」を認識できていないケースが多いのです。

あるいは、「このアイデアの最終形はこんなものではない。まだまだ可能性があるはずだ」という思いが強すぎるあまりに、自身の成果を過小評価していることもよくあります。

ただ、先生自身の評価は低くとも、社会に実装すれば大きなインパクトをもたらすことができるアイデアは確実に存在しますし、大学の先生方と頻繁にやり取りをしている私たちには、それが膨大な数であるという実感があります。

つまり日本の大学には「世界の課題を解決できる知識」が山のように存在しているにもかかわらず、現状では誰の目に触れることもなく放置されている、という状態なのです。都心の大学でも地域の大学でも、事情は全く変わりません。

これはあまりにもったいない話で、かつ世界的な損失でもあります。第一章でも紹介したリバネスが運営しているテックプランターは、その問題意識から始まったものでもあります。

それにしても、すでにアイデアはこの世にある（少なくとも研究者の頭の中にはある）にもかかわらず、それを社会に出すためにはテックプランターのような第三者的な存在が必要だというのは、少々ふしぎなことでもあります。私が子どもなら、「役に立つものを持っているなら、自分で使えばいいのに」と言うかもしれません。

ただ、これもまたアイデアや知識の面白いところで、「知識を生みだすこと」と「その知識を社会に実装すること」は別物です。だからこそ、前章で説明したように、リバネスではその間をつなぐブリッジコミュニケーターを重要視しているわけです。

自分の世界の奥深くに入り込んで知識をつくりだす人と、その様子を外から見ながら適切なタイミングで知識を引き上げる人。自分の考えを自分で否定して知識の精度を上げていく人と、その知識を「いいですね！」と肯定して外の世界につないでいく人。

このように、一つの軸の両極に位置するような人たちが、「世界の課題を解決する」という共通の目的を達成するために一緒になって取り組むことが、知識の社会実装には必要です。「人と人との組み合わせ」によって課題を解決していくというあり方は、知識製造業の概念そのものでもあります。

だとすれば、全てのきっかけは「**知識を頭の外に出す**」こと以外にはありません。さらにいえば、外に出すのは「まだ知識になっていない状態」でも全く構いません。例えそれがクエスチョンの状態にすぎないものだったとしても、外に出すことによってものごとは進み始めます。

私は、研究者だけでなく、全ての人にこの感覚を体感してほしいと思っています。個のQとPにもとづいた課題意識を、自分以外の人に伝えてみる。それに対して、相手から思いもよらないアイデアが出てくる。そこにさらに別の人が新しい視点のアイデアを持ち込むことで、かすかに課題解決の糸口が見えてくる――。これが知識製造業の発火点となるわけです。

実はリバネスでは、まさにこの知識の組み合わせの第一歩が始まる場として、2012年から超異分野学会というものを立ち上げています。

超異分野学会とは、その名の通り「超異分野」の人々の集まりです。研究者、大企業、中小企業、町工場、ベンチャー企業、大学生、中高生など、本当に多様な人々が一つの場に集まり、分野や業種や世代の違いを超えて、議論を通じて互いの持っている知

「超える。つながる。世界を変える。」をスローガンに掲げる超異分野学会 https://hic.lne.st/

識や技術を融合させ、これからの人類が向き合うべき新たな「研究」を推進するための場です。ここで扱われる「研究」が、職業としての研究者の仕事ではなく、個のＱとＰにもとづく課題解決を意味することはすでにおわかりでしょう。異分野・異業種の参加者により、これまでにない研究テーマの創出、課題解決のアプローチを建設的に議論し、垣根を超えて共に最先端の研究開発を仕掛け続ける場が、超異分野学会です。

２０２２年度は、この超異分野学会を北は北海道、南は鹿児島まで、全国９カ所で開催しました。また海外でも、フィリピン、インドネシア、タイ、ベトナム、マレーシア、シンガポールの６カ国で開催しました。２０２３年度は新型コロナの状況が落ち着いたこともあり、異分野・異業種だけでなく、グローバルな意味でも「超異分野」な場として盛り上げていこうと考えています。

知識製造業にシフトしていくための第一歩として、ぜひ全国各地の、そして世界中の超異分野学会に足を運んでいただければと思います。そこにはきっと、見たことのない新しい世界が広がっているはずです。

CASE 2

「腸内デザイン推進企業」メタジェンはいかに生まれたか

第三章の最後に、まさに研究者的思考によってベンチャー企業を立ち上げた事例をご紹介します。登場するのは、便の中に含まれる腸内細菌叢の遺伝子と代謝物質を網羅的に解析することによって腸内環境を評価する独自技術「メタボロゲノミクス®」を基盤に起業した株式会社メタジェンの福田真嗣さんです。

リバネスの代表取締役社長CKOである井上浄との対談の中で、福田さんは自らの「個のQとP」について説明すると同時に、どのようにチームを形成し、ビジネスをつくりあげていったのかを存分に語っています。普段は研究者や大学発ベンチャーとはあまり接点のない方にとっても、彼らがどのようにものごとを考え、何に対して情熱を抱いているのかがよく理解できる内容になっています。

偶然の出会いから生まれた絆が、世界初の事業を実現する

出典：人材応援vol.05（2018年6月）

起業への思いはずっと燃え続けていた

リバネス・井上浄　福田さんは、大学教員をしながら起業したわけですが、事業化はいつ頃から考えていたんですか。

メタジェン・福田真嗣　大学生の頃から腸内細菌の研究をしており、いつかは研究成果を社会実装したいと思っていました。しかしやり方もよく分からず、研究が比較的順調に進んでいたので、そのままアカデミアで研究を進めた、というのが正直なところですね。本当に考え始めたのは理化学研究所でのポスドク時代に、5年かかってビフィズス菌による腸管出血性大腸菌O157:H7感染予防機構に関する研究成果を『Nature』誌に発表した頃からです。インパク

トのある研究成果を論文発表できたからといって、必ずしも世の中を変えるプロダクトに繋がるわけではないことを実感し、本格的に事業化を意識し始めました。

井上　僕と初めて会ったのはその論文がアクセプトになる直前の頃ですよね。

福田　浄さんはすでに研究をしながらリバネスを立ち上げていたので、どうやって大学教員をしながら会社を運営しているのか、興味津々で話を聞きました。ちょうどその頃、まず研究成果の事業化について勉強してみようと思い、ビジネススクールに通ってみたんです。事業計画や資金計画の立て方を教わり、サービスも考えました。でも事業計画の作り方がよく分からず、結局完成しませんでした。今思えば、「事業をする」ことに対する知識が圧倒的に足りなかったですね。

井上　最初に考えたサービスは今と同じなんですか。

福田　根本は一緒ですね。腸内環境に層づく層別化ヘルスケアがキーワードで「あなた型のヨーグルトを作ります」というサービスです。味の好みやその人の年齢、理想とする体型のタイプに合わせてカスタマイズされたヨーグルトで健康になるというものでした。実際に食品企業と話したこともあったのです

左：井上浄（いのうえ・じょう）
株式会社リバネス 代表取締役社長CKO
東京薬科大学大学院薬学研究科博士課程修了、博士（薬学）、薬剤師。2002年、大学院在学中に理工系大学生・大学院生のみでリバネスを設立。博士課程を修了後、北里大学理学部助教および講師、京都大学大学院医学研究科助教、慶應義塾大学特任准教授を経て、2018年より熊本大学薬学部先端薬学教授、慶應義塾大学薬学部客員教授に就任・兼務。研究開発を行いながら、大学・研究機関との共同研究事業の立ち上げや研究所設立の支援等に携わる。多くのベンチャー企業の立ち上げにも携わり顧問を務める。

右：福田真嗣（ふくだ・しんじ）
株式会社メタジェン代表取締役社長CEO
2006年明治大学大学院農学研究科博士課程を修了後、理化学研究所基礎科学特別研究員などを経て2012年より慶應義塾大学先端生命科学研究所特任准教授、2019年より同特任教授。2016年より筑波大学医学医療系客員教授、2017年より神奈川県立産業技術総合研究所グループリーダー、2019年よりマレーシア工科大学客員教授、JST ERATO副研究総括、2021年より（一社）腸内デザイン学会代表理事、2022年より順天堂大学大学院医学研究科細菌叢再生学講座特任教授を兼任。専門は腸内デザイン学。著書に『もっとよくわかる！腸内細菌叢 "もう一つの臓器"を知り、健康・疾患を制御する』（羊土社）。

が、10種類もの違うヨーグルトを作るなんて、コストがかかりすぎて無理だと言われました。

井上　アカデミアの中にいると、製造過程やコストをイメージするのは難しいですよね。でもずっと研究成果の実用化への思いを温め続け、行動してきたわけですね。（2010年当時の完成しなかった事業計画書を見ながら）「体の内側から健康になることで明るく快適な生活を送る」というコンセプトがありますけど、このあたりは今とかなり近い思いですね。

福田　はい。今、病気ゼロ社会の実現に向けて、食品や健康に関わる企業のノウハウを集結し、共同研究を加速する「腸内デザイン応援プロジェクト」を推進しています。ヨーグルトの話も、1社では無理でも多くの企業の力が結集すれば、いつか実現できると思っています。

井上　新しいことをやるときは、最初から綺麗に事業計画を立てられたりするわけじゃない。でも、完璧でなくても人に話してみる経験が大事ですよね。

ほぼ初対面の仲間でチームになった

福田　２０１２年に山形県鶴岡市にある慶應義塾大学先端生命科学研究所に特任准教授として着任し、メタボローム解析で人の便を解析する研究も行うようになりました。以前にも増して、腸内細菌叢から産生される代謝物質が人の健康に重要だということを認識するようになりました。２０１４年に浄さんと食事をする機会があって、「本格的に起業してみようかな」と話してみたら、代表の丸さんと話をする機会を作ってくれましたね。その時にチームを作ることが大事だと教えてもらったんです。

井上　ちょうど水口佳紀君という東京工業大学の大学院生が、リバネスのテックプランターに2年連続で出場していました。便器にDNAシーケンサーを取り付けて腸内細菌叢を解析する、という素晴らしいアイデアだったのですが、先端的すぎて当時は2年連続予選落ちでした。そしてもう1人、東京工業大学に山田拓司という腸内細菌叢のバイオインフォマティクス研究者がいた。チームにするならこの３人だと思って会ったのが始まりでしたね。ほぼ初対面の人とチームを組むことに不安はなかったですか。

福田　その時までは、起業するという意識はありつつもどうするべきか分からず、一緒にやる人のことまでは考えていませんでした。山田さんとは実は2010年の夏に学会で会ったことがあり、ヨーロッパの研究グループから腸内細菌叢のカタログ化に関する論文が『Nature』誌に発表されて、唯一の日本人著者が山田さんでした。学会で会って以来でしたが、腸内細菌叢のバイオインフォマティクス研究者といえばこの人だ、と思い私から連絡したんですよね。水口君は信頼する浄さんや丸さんが紹介してくれた人という安心感がありました。私が持っていないものを確実に持っている人たちでしたし、自分が10年くらい考え続け、それでも自分1人の力ではできなかったことをこのメンバーだったら実現できる気がしました。

井上　偶然出会った、プロフェッショナル同士のぶつかりあいでできた会社ということが面白いですよね。僕自身も福田さんに慶應義塾大学に誘われ、キャリアが変わりました。福田さんと共同研究できることも、ラボの立ち上げができることも面白いと思った。最高のチームは、作ろうと思って作れるものではなく、偶発的な出会いから、熱意の共有ができた人達と成長しながらいつの間にか形作られている気がします。

自分のやることを信じられる人は強い

井上 福田さんが起業するとき、技術顧問や研究担当で参画するという方法もあるという話をしたのですが、「僕、社長やります」の即決でしたよね。「起業への思いが半端ないな」と驚きましたよ（笑）。

福田 社長が何をしなきゃいけないのかを良く分かってなかったと思いますが、直感ですね。

井上 それがパッションですね。福田さんが自分で責任を持つというからには、こちらも全力でサポートしようと思いました。起業の仕方が分からなかったら、止まったままでもいいはずだけど、福田さんはずっと熱意を持ち続けて、そうしなかった。そしてチームができてすぐ、リバネスのバイオサイエンスグランプリに初めて出たわけですが……ごめんなさい、まさかメタジェンが優勝するとは思ってなかった。

福田　え、僕は優勝しか考えていませんでしたよ。だって腸内環境は重要だし！

井上　その強さ！福田さんは普通の研究者マインドからすると、実現不可能だよと言われちゃうものを信じて作っている。新しいことを作るには、自分のやっていることを信じる強さが必要なんです。ビジョンが明快だから仲間もできたし、さらに仲間が増えると思います。

福田　病気ゼロ社会を実現するためには、まだまだやらなければならないことがたくさんあります。そのためにも、今は仲間を増やさないといけない。メタボロゲノミクス®の技術だけでなく、最先端の研究をエビデンスベースで正しく世の中に伝えていき、ビジョンを共有できる仲間を増やしていきたいです。

いかがでしょうか。対談での発言から、みなさんにも福田さんの熱い思いが伝わってきたのではないでしょうか。ここで紹介した記事は2018年のものですが、その後もメタジェンは順調な成長を遂げています。

対談の前半で言及されていた「腸内デザイン応援プロジェクト」は「腸内デザイン共創プロジェクト」へと進化し、日本を代表する大企業を含む20社以上と共に、「腸内デザイン®」の考え方にもとづく新たな市場創出に向けた取り組みが着々と進んでいます。また、2020年には創薬・医療事業を手がけるグループ企業であるメタジェンセラピューティクス、そして海外グループ企業としてメタジェンシンガポールを相次いで設立し、同社が掲げる「最先端科学で病気ゼロを実現する」という理念が世界へと広がりつつあります。

同年にはFinancial Times社およびStatista社による「アジア太平洋地域の急成長企業ランキング2020」の第50位にランクインするなど、いまやメタジェンは名実ともに世界が注目するベンチャー企業だといえるでしょう。

しかし、その原動力が「個のQとP」であることに変わりはありません。福田さんをはじめとするメタジェンのメンバーの研究者的思考が、世界を変えるイノベーションを生みだしているのです。

第四章

あらゆるディープイシューがビジネスになる

「事に仕える」か、それとも「事を仕掛ける」か

「うちはずっと同じ事業をやっているものですから。急に異分野連携と言われましても」

企業の方に知識製造業や共生型ビジネスの話をすると、こういった返事をされることがよくあります。特に地域の中小企業の方々は、そのように謙遜することが多いように思われます。実際の言葉としてはさまざまですが、要するに「うちはこれしかやっていないから……」というわけです。

この「これしかやっていない」には、大体「大手とは違って」という前置きがつきます。そこには、手広く事業を展開している大企業のほうが上であり、単一の事業にとどまっている中小企業は大手には及ばない、という先入観があります。

しかし、私はこれは逆だと思っています。「これしかやっていない」は、知識製造業の時代においてはむしろ強みになるはずです。なぜでしょうか。

「これしかやっていない」とは、技術や知識や人材を含めて、自社の有形無形の資産＝アセットをしっかりと認識できていることを意味します。知識製造業とは、知識と

知識を組み合わせることによって新たな知識をつくりだすことです。自社のアセットがわかっているということは、組み合わせる知識の「片方」はすでに明確になっているということにほかなりません。

それのどこが強みになるのか。自社のアセットがわかっているのは当たり前じゃないか。そう思う方もいるかもしれません。

しかし、実は同じことが大企業ではそう簡単ではないのです。異分野連携の話には賛成でも、いざ具体的にプロジェクトを動かそうとすると「どの部門がカウンターパートとして最適かを検討しなければ」となって話が止まることがめずらしくありません。規模が大きく、部門間の縦割りが進んでいるため、新たな取り組みを実行する判断にはどうしても時間がかかってしまいます。

したがって、知識製造業においては、中小企業は大企業を判断のスピードで上回ることができます。第三章で説明した「小さく、細かく、多く。できるだけ早く試してみる」という研究者的思考を実践する上で、これは大きな強みになります。

とはいえ、「これしかやっていない」という後ろ向きな意識は改善する必要があるでしょう。最初から自社の可能性を狭めてしまっては、変化が大きい時代に対応することができません。

それにしても、なぜ「これしかやっていない」という後ろ向きな捉え方になってしまうのでしょうか。実はここには明確な理由があります。この言葉を口に出してしまう中小企業には、自社が取り組むべき「真の課題＝ディープイシュー」が見えていないのです。

どのような会社でも、創業時には自社の存在意義がはっきりとわかっています。「うちの会社は、こういう課題を解決している」「そのためには、この仕事が必要なんだ」ということが見えていたはずです。最終的な製品を手がけるメーカーではなく、そのための部品を製造する町工場だとしても、「うちの仕事はこういう製品に使われている」「結果的にこんな社会課題の解決に役立っている」とわかっていたはずです。そして、それが自らの仕事の誇りになっていたはずです。

しかし、会社の規模が大きくなり大量の受注が入るようになると、状況が少しずつ変化します。安定的な納品を実現するべく、生産効率を上げることが重要になってきます。そして自分たちの仕事がどのような課題解決につながっているのかを考える機会が減っていきます。そんなことをわざわざ考えなくても、目の前の仕事を改善することさえできれば、ビジネスは成立するからです。こうして、いわば「事に仕える」ことが仕事になっていくのです。

一度「事に仕える」状態になってしまうと、目の前の業務以外には意識が向かなくなります。そして、自分たちの知識や技術が、他のどのような用途に応用可能かを考えられなくなります。これが「うちはこれしかやっていない」の実態です。

これからの時代は、「事に仕える」という姿勢を**「事を仕掛ける」という攻めの姿勢**へと転換しなければなりません。自社のアセットを理解した上で、「どの課題を解決しにいこうか」と考える前のめりな姿勢が求められます。

では、どうすれば「事を仕掛ける」という姿勢を身につけられるのでしょうか。実は、その答えは「事に仕える」の中にあります。

繰り返しになりますが、なぜ「事に仕える」状態が生まれるかといえば、その事業がある程度軌道に乗ったからです。ということは、同じことの繰り返しのように思える「事に仕える」の裏には、なぜその業務が確立しているのか、なぜその事業が多くの顧客に求められるようになったのか、という本質が隠れています。

突出した成果を出し続ける会社は、常にものごとの本質をつかんでいます。ごくありきたりな業務の中にも、何かしらの本質的な意味を見出すことができます。これが自社のアセットの理解につながります。そして、本質をつかんでいるからこそ、次の一手を仕掛けることができるのです。

つまり重要なのは、「事に仕える」状態を捨てることではありません。そうではなく、**全ての「事に仕える」を「事を仕掛ける」に転換する**ことができるかどうか。これが会社の未来を大きく左右することになります。

時代が大きく変化しているからといって、その変化につられて自分たちの行動を迷う必要はありません。時代が変わるなら、うちの会社は先回りしてこれを仕掛けてやろう。変化に対応するためにも、自社の強みを改めて磨いておこう。仕事とは「事を仕掛けることである」という視点をもつことによって、あらゆることが前向きに捉えられるようになるのです。

新しい事業をつくる「ＡＢＣＤＥ理論」

企業が新しい事業をつくる際のノウハウとして、私には「**ＡＢＣＤＥ理論**」という持論があります。ＡＢＣＤＥとは何かというと、次の５つの英単語の頭文字を合わせたものです。

・Ａ＝自社のアセット（Asset）
・Ｂ＝ビジネスモデル（Business）
・Ｃ＝真の顧客（Customer）
・Ｄ＝新規事業のデザイン（Design）
・Ｅ＝事を仕掛ける人（Entrepreneur）

文章で表現すれば、次のようになります。
まずは自社のアセット（Ａ）、ビジネスモデル（Ｂ）、真の顧客（Ｃ）についてしっか

新規事業のABCDE理論

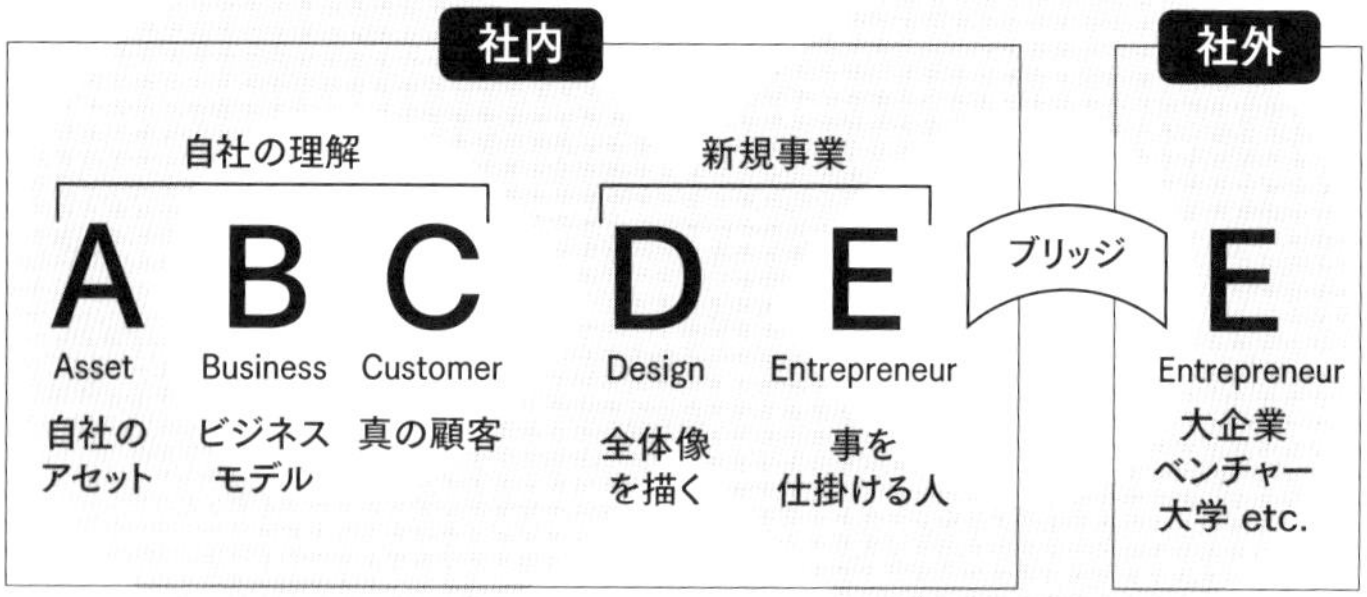

りと理解をする。その上で、新規事業をデザイン（Ｄ）する。このプロセスを通じて、社内にアントレプレナーシップをもつ「事を仕掛ける人（Ｅ）」が育つ。社内の「事を仕掛ける人」は、社外の「事を仕掛ける人」とブリッジして「一緒に事を仕掛ける」ことができるようになる。そして結果的に、新規事業が次々に生まれる組織になる。これが新規事業のＡＢＣＤＥ理論です。

ＡＢＣＤＥのそれぞれについて、もう少し詳しく見ていきましょう。

最初のＡ＝自社のアセットとは、つまりは自社の強みは何か、ということの理解です。ＡＢＣＤＥの５つのうちで、最も重要な要素でもあります。

アセットとはその企業独自のものであり、

だからこそ、これをベースに新規事業を組み立てることでオリジナリティが出てきます。またアセットとは、各種のノウハウが蓄積されたものでもあります。自社の強みを生かすことがビジネスの定石であることは、私が強調するまでもありません。

ところが「新規事業」という言葉を使った瞬間に、自社のアセットのことがすっかり抜け落ちてしまい、本当にゼロから新規事業をつくりにいこうとする企業が後を絶ちません。「新規事業」＝「全く新しい事業の柱をつくる」＝「新しい市場を開拓しなければ」という短絡的な思考回路に陥ってしまうのがその原因です。

おそらく背景には、前述した「うちはこれしかやっていない」という後ろ向きな捉え方の影響があるのでしょう。新規事業というからには、その投入先が従来とは異なる市場になるのはその通りです。しかし、だからといってゼロから始めてしまうと「なぜうちがこの事業をやるのか」というアイデンティティがなくなってしまいます。これではうまくいくはずがありません。

とにかく新規事業は、**自社のアセットをしっかり理解する**ことから始めること。これが鉄則です。

次のB＝ビジネスモデルは、現在の事業はどうやってお金を稼いでいるのか、ということの理解です。そこでベースになっているアセットは何か。それをどのようなプロダクトやサービスに落とし込み、誰に対して提供しているのか。つまりは、現時点での自社のビジネスの構造を立体的に把握するというプロセスがBにあたります。その理解をさらに深めるためには、競合他社や類似のビジネスモデルとの比較も役に立つでしょう。

C＝真の顧客とは、前述のビジネスモデルを通じて、最終的に誰のどのような課題を解決しているのか、を理解することです。注意すべきなのは、ビジネスモデル（B）の中で出てくる直接的な販売先としての顧客との区別をしっかりとつけることです。

例えば、大部分の食品メーカーはB to Cのビジネスモデルではあるものの、家庭の食卓に直接商品を届けているわけではありません。取引先はあくまで卸先や小売店であり、そのため日々の業務の中では「卸先や小売店に買ってもらうこと」が優先されがちです。しかし、真の顧客である「食べてくれる人」のことがしっかりと見えていなければ、ビジネスの根幹がぶれてしまいます。

もう一つの事例としてリバネスを取り上げてみると、リバネスの場合はB to Bのビジネスモデルを採用しています。教育応援プロジェクト、人材応援プロジェクト、研究応援プロジェクト、創業応援プロジェクトという4つを主幹プロジェクトとして、それぞれの領域に属する企業や組織と取引をしています。

ではリバネスにとって真の顧客とは誰でしょうか。教育、人材、研究、創業という領域の先にいる人々……と思われるかもしれませんが、実は違います。もちろんそうした人々に対して貢献することも重要です。しかし、リバネスが創業以来のビジョンとして掲げているのは「科学技術の発展と地球貢献を実現する」というものです。

つまり、リバネスの真の顧客は地球であり、地球の課題を解決するためにリバネスは存在しています。荒唐無稽に感じられるかもしれませんが、私たちはこれを大真面目に目指しています。したがって、仮にいつの日か、地球上の課題が全て解決されるとしたら、それはリバネスの役割が終わるということでもあります。**真の顧客とは、自分たちの会社の存在意義と直結したもの**なのです。

その意味では、真の顧客は自社が解決すべき真の課題、つまりディープイシューと密接に結びついたものでもあります。そのディープイシューによって苦しんでいるのは誰か。そのディープイシューの解決によって救うことができるのは誰か。その先にいるのが真の顧客であるはずです。

もしみなさんにとってのＣ＝真の顧客が明確でないのであれば、一度考えてみることをお勧めします。創業時の思いの中にその答えがすでにあるかもしれませんし、その後の会社の歩みのなかに大きなヒントがあるかもしれません。自社にとっての真の顧客が定まると、会社の軸が揺るぎないものになるはずです。

本質は変えずに、新規事業をデザインする

新規事業を立ち上げるというのは、ここまで見てきたアセット（Ａ）、ビジネスモデル（Ｂ）、真の顧客（Ｃ）のうち、「ビジネスモデル（Ｂ）」を新たにつくることにほかなりません。

自社のＡＢＣをしっかりと理解した上で、新たなＢをデザインすること。つまり新規事業の全体像を描くプロセスがデザイン（Ｄ）です。

ここで重要なのが、**自社にとってのＡとＣをぶらさない**ことです。ＡとＣを従来とは異なる解釈で捉えて、可能性を拡張することは構いません。しかし、その本質を変え

るべきではありません。繰り返しになりますが、それは自社のアイデンティティを失うことになるからです。

せっかくこれから新規事業を考えようというときに、アセットと真の顧客という2つの制約があると、自由な発想ができないのではないか。むしろ従来の路線に引きずられたものになってしまうのではないか。そんな心配をされる方もいるかもしれません。しかし、実際にはむしろ逆です。2つの大きな制約があるからこそ、それがしっかりとした足場となって、思いっきり発想を飛ばすことができます。足場があれば、そこからどれだけ発想を飛ばしても、アイデアが地に足のついたものになるのです。むしろ制約のない自由さは、案外どこかで聞いたような陳腐な発想にとどまりがちです。第三章で何度も強調した「イノベーションには一般的な課題ではなく、個のQ（＝Question）とP（＝Passion）が重要」という話と、基本的には同じことなのです。

例えばリバネスの祖業である出前実験教室は、本当に最初の段階では自分たちで会場を借りて、そこに個人のお客さんを集めるかたちで実施していました。つまりスタートの段階では「出前」ではなかったし、BtoBのモデルでもありませんでした。

ではその時点でのリバネスのA＝アセットは何だったかといえば、自分たち自身が最先端科学を日々研究していることでした。またC＝真の顧客は先ほど説明したように「科学技術の発展と地球貢献を実現する」であり、ここでのディープイシューは「子どもの理科離れ」でした。子どもが理科を嫌いになってしまうと、次世代の科学技術を担う人材がいなくなり、地球貢献が実現できなくなるからです。

私たちは、このAとCを足場として、まずビジネスモデルをBtoCからBtoBへと変えました。個人からお金をもらうのではなく、実験教室を「出前」にすることで、私立の学校や塾を顧客とするかたちにしたのです。次に仕掛けたのは、出前実験教室に広告ビジネスをプラスすることでした。最先端科学の実験では、実験のための試薬が必要です。これは決して安い値段ではありません。そこで知り合いのツテをたどって大手試薬メーカーであるメルク社に掛け合い、実験のための試薬を提供してもらうスキームを構築しました。試薬を無償提供してもらう代わりに、メルク社には社会貢献活動として大いにPRしてもらうというかたちです。

その後も、出前実験教室の講師役を企業の若手社員育成に活用するというモデルや、実験のテーマ自体を企業PRに活用するモデルなど、リバネスの出前実験教室にはさまざまなビジネスモデルのバリエーションが生まれました。「子どもの理科離れ」を解決するという出前実験教室の本質は変えずに、そこからいくつもの新規事業をデザインすることができたのです。

社内で新規事業を担うのは誰だ

さて、ＡＢＣをしっかりと理解した上で、新規事業として新たなビジネスモデルをデザインすることができたとしましょう。すると、社内には新規事業に加えて、大きな副産物が生まれることになります。それがアントレプレナーです。社内に「事を仕掛ける人」が育つのです。

当然ながら、新規事業を「構想しただけ」では何も起こりません。それを実際にかたちにして、ビジネスとして動かし続ける部分を情熱をもってやり切る人間がいなければ、新しい事業は成立しません。

ＡＢＣＤのプロセスを一通り経験することによって、これを担うことができるアントレプレナーが社内に育つことになります。矛盾した話のように聞こえるかもしれませんが、**新規事業を立ち上げることができる人は、新規事業を立ち上げることによってのみ生まれる**のです。

そして、新規事業をデザインするコツを身につけた社内アントレプレナーは、今度は社外のアントレプレナーと組んで新たなビジネスモデルをつくりだすことができるようになります。ＡＢＣＤＥのプロセスを経ることで、第二章で説明したブリッジコミュニケーションを自分のものにできるからです。

ここまで来れば、社内のアセットと社外のアセットを自在に組み合わせることができるようになります。また、組む相手を変えることによって、次々に新たなビジネスをつくりだすことができるようになります。つまり、知識製造業によって、自社の可能性を無限に広げることができるようになるのです。

ちなみに、このデザインを担うアントレプレナーのポジションには、組織外から参加してもらうのも一つの方法ですし（リバネスはこの役割を担うことがよくあります）、既存の社員だけでは難しいようであれば、中途採用で補うのも有効です。

また、新規事業の第一歩の内容としては、社内のみで完結するかたちでも、あるいは最初から社外の組織と組むかたちでも、どちらでも構いません。社内のみで行うほうがハードルが低いかと思いきや、社外と組むことの緊張感が功を奏してプロジェクトがうまく進むこともあります。いずれにしろ、まずは一歩を踏み出すことが重要です。

そして、社外と組むのであれば、中小企業にとって最も相性が良いのはベンチャー企業だというのが私の考えです。ベンチャー企業は、おそらく大部分の中小企業にとって未知の存在であり、また「異なる存在」だと思います。だからこそ、そんなベンチャー企業と中小企業が手を組み、共生型のビジネスを行うことで、新たな知識をつくりだすことができるのです。

ある程度の歴史を持つ企業であれば、安定した事業を実現するだけの独自のアセットを必ずもっています。しかし、安定しているからこそ、新たな一歩を踏み出すアントレプレナーシップが弱いというのが中小企業の課題です。

一方、ベンチャー企業にはまだアセットと呼べるようなものは確立していません。「画期的なテクノロジーを開発しました」と主張していたとしても、それはまだ実証段階で、社会実装には長い道のりが残っています。しかし、ベンチャー企業を率いているのは強烈なアントレプレナーです。解決できるかどうかもわからないディープイシューの解決を掲げ、猛烈な情熱を燃やしている人物がそこにはいます。

自社にとっての「C＝真の顧客」にたどり着けていない中小企業は、いわば「巻き込まれる力」を発揮して、このベンチャー企業のディィープイシューの解決のために自社のアセットを提供して組み合わせていけばよいのです。

荒唐無稽なビジョンを掲げて、何の武器も持たない状態で、それでも課題に突進して、どうにかしてしまうのがベンチャー企業の真骨頂です。彼らには、なんとも表現しようのない破天荒な魅力があります。私がそんなベンチャースピリットに初めて触れたのは、学生時代のことでした。

僕は○○で世界を救うことに決めた

「丸さん知ってる？　バングラデシュでお腹を空かせている人なんて一人もいない！米とパンなら現地にいくらでもある！　本当の問題は栄養失調なんだ！　不足しているのは食料じゃなくて、栄養なんだよ！」

学生時代のある飲み会で、私は年下の友人からものすごい剣幕で迫られたことがあります。飢餓の問題が深刻なバングラデシュでの海外インターンシップを経験をした彼は、私の胸ぐらを掴むほどの勢いで、「丸さんは農学生命科学が専門でしょう！　何かよいアイデアはないの!?」と訴えかけてきました。

現地まで足を運び、その目で現実を直視したからこそたどり着いた「本当の問題は栄養失調」という彼の発見と、その問題をどうにかして解決したいんだという情熱は、私の心を大きく揺さぶりました。あの時の迫力は、今でもはっきりと覚えています。

その後、彼は動物と植物の両方の性質を持つ生物の存在を知ることになります。それは「豊富な栄養素による食料問題の解決」「バイオ燃料の原料になり得る」「二酸化炭素の吸収による地球温暖化対策」という多くのポテンシャルを持ち、１９５０年代からさまざまな研究が進められてきた生物でもありました。

しかし、彼がその存在を知った２０００年頃には、それらの研究の大半はストップしていました。さまざまな問題解決の大前提であるその生物の「大量培養」がどうしても実現できなかったからです。

それでも彼は諦めませんでした。「僕はこの生物で世界を救うんだ！」という壮大なビジョンを掲げ、その決意が揺らぐことはありませんでした。そして、せっかく就職した大手金融機関をわずか一年で退職し、大学時代の仲間とともに会社を立ち上げます。その会社の名前は、ユーグレナ。そうです。その年下の友人とは、株式会社ユーグレナ創業者の出雲充さんのことなのです。

その後のユーグレナの活躍については、みなさんもご存知の通りです。２００５年に世界初となる食用としての微細藻類ユーグレナの屋外大量培養に成功し、２０１２年に東証マザーズに上場。２０１４年には東大発ベンチャーとして初めて東証一部に上場し、２０１８年には日本初となるバイオジェット・ディーゼル燃料製造実証プラントを完成させました。そして２０２０年に次世代バイオディーゼル燃料を、２０２１年にはバイオジェット燃料の供給を開始し、現在は車両・船舶・航空機などで利用が拡大しています。

ユーグレナには最初からテクノロジーがあったわけではありません。それは前述のエピソードからも明らかでしょう。しかし出雲さんはその猛烈な情熱によって、多くの企業を自らのミッションに巻き込み、そして共に課題解決のための新たな知識をつくり続けているのです。

ちなみに、彼らは2014年から、豊富な栄養素を持つユーグレナ入りのクッキーをバングラデシュの子どもたちに無償で配布する『ユーグレナGENKIプログラム』という活動を続けています。出雲さんは学生時代の想いをしっかりと実現しつつ、さらにその先へと突き進んでいるわけです。

中小とベンチャーは最強の組み合わせ

ユーグレナが2005年に達成した世界初の「微細藻類ユーグレナの食用屋外大量培養」は、まさに世界を変えたブレークスルーでした。そして、実はこれは、**中小企業とベンチャー企業との組み合わせが最強**になるということの代表的な事例でもあります。

このブレークスルーには、ユーグレナの他に、決定的な役割を果たした人物が二人いました。

一人は、大阪府立大学で長年微細藻類ユーグレナの研究をしていた中野長久名誉教授です。中野先生が積み重ねてこられた研究による最先端の知識がなければ、屋外大量培養は絶対に成功しませんでした。

そしてもう一人は、屋外大量培養のテストのために施設を提供した八重山殖産株式会社の志喜屋安正さん（当時、代表取締役社長。現在は会長）です。

当然のことながら、テストを実施することなしに、新たなテクノロジーを確立することはできません。しかし２００５年当時のユーグレナは、スタートしたばかりのベンチャー企業でした。情熱はあるが実績はない。そんなユーグレナに対して、自社で手がけていたユーグレナと同じく微細藻類であるクロレラの培養プールを提供したのが八重山殖産の志喜屋さんでした。そして、ユーグレナの創業メンバーであり現在は執行役員ＣＴＯの鈴木健吾さんと、八重山殖産で現在は取締役工場長を務める石垣勝己さんが、屋外大量培養の実現を成し遂げました。

その経緯については、当事者である出雲さんの著書『僕はミドリムシで世界を救うことに決めた。』（小学館新書）で詳しく説明されています。ここで、熱い思いが込められた文章を一部引用させてもらいましょう。

この志喜屋さんの決断には、いまも何とお礼を言っていいのかわからない。当時の僕らが示せるものは、ミドリムシのポテンシャルと熱意しかなかった。限られた数しかない培養プールをベンチャーに貸し出すということは、本来ならクロレラで安定した収益をあげられる可能性を閉ざすということだ。それどころか、志喜屋さんはしばらくの間、僕たちに無料で培養プールを借してくれたのだ。

普通プールを借りるには、研究費として月に決まったお金を施設に払わなければならない。プールの管理や保守点検には当然人の手が要るし、管理には機材のメンテナンスや電気代などのコストがかかる。

だがお金のない僕たちは、八重山殖産に対して、「培養に成功したら収穫した量に応じたお金を払います。それまではミドリムシの可能性に賭けて、無料で使わせてもらえませんか」という、たいへん非常識なお願いをしたのだ。八重山殖産にとっては、コストがすべて持ち出しでかかるだけではなく、僕たちがミドリムシの生産に失敗したら一円も戻ってこないというたいへんリスキーな提案だ。普通の経営者だったら、100人中100人が断るだろう。

それなのに、志喜屋さんは「わかりました。ミドリムシのためにプールを用意しましょう」と言ってくれた。成功するかどうかわからない研究のために、大きなリスクをとってくれた志喜屋さんと八重山殖産の方々は、ユーグレナの産みの親といっても過言ではない。

いかがでしょうか。当時を知る私としては、いま読んでもぐっと来る内容です。そして同時に、ここには知識製造業を実現するために必要なさまざまな要素が詰まっています。

「大学で長年積み重ねられてきた最先端の研究」というハイテクと、「八重山殖産が長年蓄積してきた微細藻類の培養技術」というノウハウを、「バングラデシュの栄養失調問題」という課題を解決したいアントレプレナーである出雲さんがつなぎあわせた。

これはまさに、知識製造業そのものです。**自ら課題を発見し、自ら知識を集め、その知識の組み合わせによって課題を解決する新しい知識をつくりだし、そして自ら社会に実装する**ところまでをやり切ったのです。

では、これを中小企業とベンチャー企業の組み合わせという観点で見てみると、どうなるでしょうか。

八重山殖産にはクロレラの培養プールというアセットがあった。ユーグレナには「ミドリムシで世界を救う」というディープイシューを掲げる出雲さんがいた。この二つが組み合わさって、両者は結果的に「世界初となる微細藻類ユーグレナの食用屋外大量培養」に成功した。八重山殖産にとっては、これが大きな新規事業へとつながった。ユーグレナにとっては、その後の全てがここから始まった——。こういうかたちを描き出すことができます。

つまりは、アセットとアントレプレナーの組み合わせ。中小企業とベンチャー企業の組み合わせが最強である理由が、まさにここにあります。

昨今では、国もこうした動きを後押ししています。例えばリバネスも携わっている「中堅・中小企業とスタートアップの連携による価値創造チャレンジ事業」（経済産業省・関東経済産業局）では、まさにその名称の通り、中堅・中小企業が分野や領域を超えたベンチャー企業と連携して新たな事業創出に取り組むことを支援しています。

個のQとPをビジネスにするサイクル

リバネスでは、新しいプロジェクトが生まれ育つサイクルを「**QPMIサイクル**」と呼んでいます。最初のQとPは、すでに何度も説明をしてきたQuestionとPassionの頭文字です。これに続くMとIは、MissionとInnovationを意味します。つまり、Question、Passion、Mission、Innovationの4つの頭文字を組み合わせたものがQPMIというわけです。

QPMIサイクルの詳細について、私は2014年の著書『世界を変えるビジネスは、たった1人の「熱」から生まれる。』（日本実業出版社）の中で次のように書きました。

> 質（Quality）の高い問題（Question）に対して、個人（Person）が崇高なまでの情熱（Passion）をかたむけ、信頼できる仲間たち（Member）と共有できる目的（Mission）に変え、解決する。そして、あきらめずに試行錯誤を

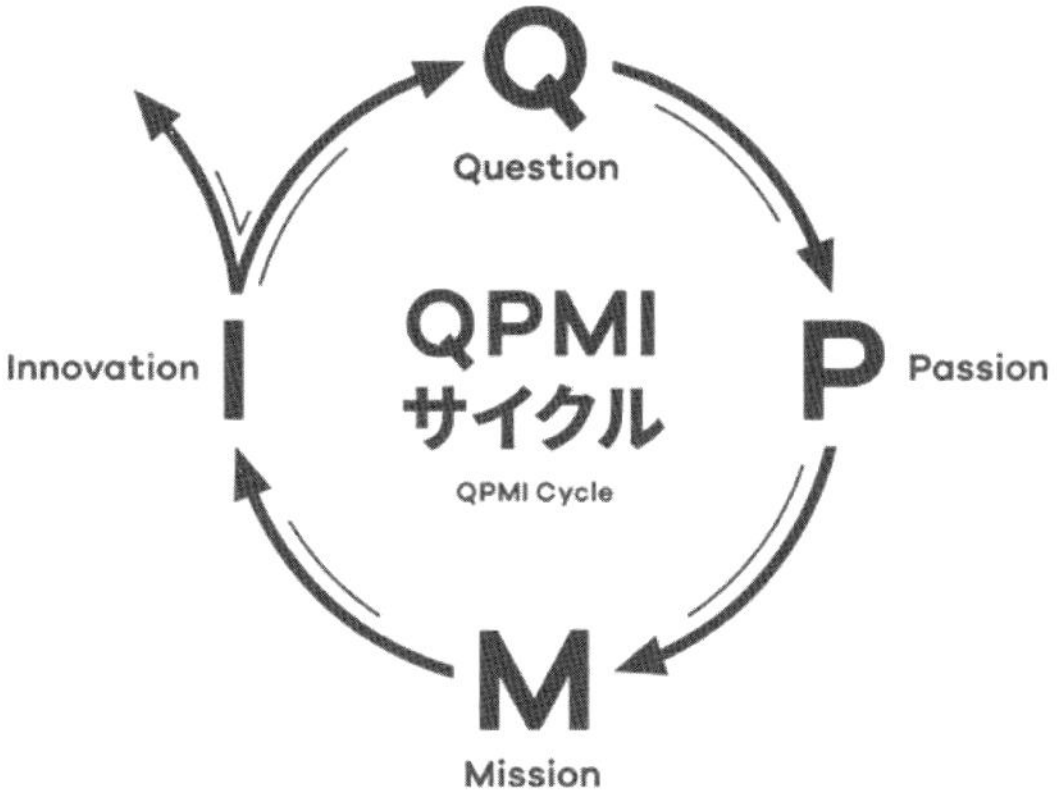

つづけていけば、革新（Innovation）や発明（Invention）を起こすことができる。

ＱＰＭＩサイクルは、このイノベーションが生まれる過程全体を指しています。「サイクル」と呼ぶのは、一度革新（Innovation）が起きても、また新たな課題（Question）が見つかって、その解決のために動いていくことがほとんどだからです。このＱＰＭＩサイクルを回しながら、新しい価値の創造につなげていくことを、リバネスではすべての社員が意識しながら仕事に取り組んでいます。

イノベーションが課題解決の結果としてもたらされるものである以上、そのスタート地点は「課題の発掘」以外にありえません。そして、過去に誰も成しえなかったような課題解決をやり抜くためには、「個人の情熱」が不可欠であることもいうまでもないでしょう。

また、立ち向かう課題が困難なものであればあるほど、解決のためには「強く明確なミッション」が欠かせません。ミッションが曖昧な状態では、メンバーの意識や行動がぶれてしまうからです。

以上の要素が揃ってはじめて、課題解決への道がひらかれます。あとは解決に向けて新たな知識の製造に突き進むのみですが、新たな知識が一つできたからといって、それで全ての課題が解決するわけではありません。

取り組む課題が大きければ大きいほど、その歩みは少しずつ解決を積み重ねていくようなものになるはずです。あるいは、新たな知識が一つできたことによって、当初は見えていなかった課題が明らかになることもあるでしょう。ですから、一度小さなイノベーションを達成したあとは、再び課題を設定し直すというかたちで、何度でもQPMIサイクルを回していきます。

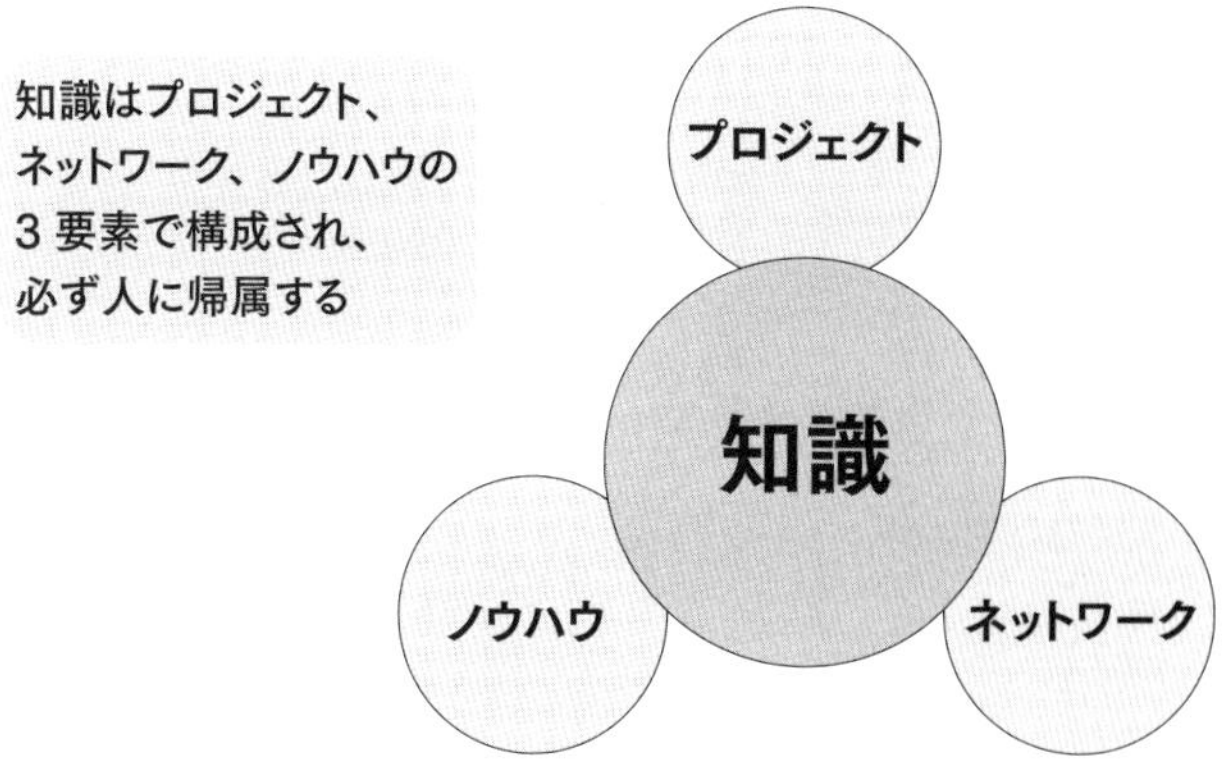
知識はプロジェクト、
ネットワーク、ノウハウの
3要素で構成され、
必ず人に帰属する
プロジェクト
知識
ノウハウ
ネットワーク

そうやってＱＰＭＩサイクルを回し続けているうちに、最初の頃は遠くに霞んでいた課題が、いつしかくっきりと見えるようになってきます。そして、その課題解決が社会に広く影響を与えた状態こそが、本当の意味でのイノベーションなのです。

ユーグレナによる「世界初の微細藻類ユーグレナの食用屋外大量培養」は、まさにこのＱＰＭＩサイクルによって成し遂げられたものでした。前述したユーグレナのエピソードをＱＰＭＩの文脈に再構成すると、次のようになります。

「バングラデシュの栄養失調問題」というＱを発掘し、これをどうしても解決したいというＰをもつ出雲さんが、「ミドリムシで世界を救う」というMを掲げて多くの仲間を集め、その第一歩として「世界初となるユーグレナの食用屋外大量培養」というIを成し遂げた。さらに、屋外大量培養の成功にとどまることなく、微細藻類の油脂を原料とするバイオディーゼル燃料やバイオジェット燃料の開発などの新たなIを次々に実現した——。これがユーグレナのＱＰＭＩサイクルであり、いまも勢いを増しながら回り続けています。

また、ユーグレナの屋外大量培養に関するエピソードは、知識製造業によってつくりだされる知識のあり方について、より深く理解するための格好の事例でもあります。

世界初の微細藻類ユーグレナの食用屋外大量培養を実現した知識は、次の３つの要素によって生まれました。

・ユーグレナの屋外大量培養の実現に取り組む「プロジェクト」
・そのプロジェクトに参加したトップレベルの微細藻類の研究者や、クロレラの製造販売を行う八重山殖産との人的な「ネットワーク」
・ネットワークに加わったそれぞれのメンバーがもっていた「ノウハウ」

これらのプロジェクト、ネットワーク、ノウハウは、いずれも単体では新たな知識をつくりだすことはできません。情報をいくら集めても、それを使いこなす人がいなければ何も起こらないのと同じです。

しかしユーグレナの事例では、この3つの要素がガッチリとかみ合いました。プロジェクトを通じて、人的なネットワークは単なる「リスト」ではなく、仲間としての「生きたつながり」になりました。それぞれが持ち寄ったノウハウも、プロジェクトでの試行錯誤を通じて有機的なつながりのある「生きた知識」へと変換されました。そして、その中心には常に「人」が存在していました。つまり**真の知識とは、プロジェクト、ノウハウ、ネットワークの3要素によって構成されており、必ず人に帰属する**ものなのです。

ディープイシューを解決するディープテック

近年、スタートアップの領域でディープテック（Deep Tech）という言葉が注目を集めています。この言葉が生まれた欧米では、「研究開発ベースの革新的なテクノロジー、あるいはその研究開発に取り組むスタートアップ」といった意味で解釈されています。なぜこれが「ディープ」かといえば、市場に実装するまでに「長い時間と多くの資金と根本的な研究が必要」だから、というわけです。

ただ、これでは単なる「研究開発型のハイテクノロジー」の別名であって、概念としての新しさはありません。ハイテクに研究開発が必要なのは自明のことだからです。あえて新しさを見出すとすれば、そうしたハイテクが従来は投資の対象になっていなかった、つまりアカデミアというディープな場所に埋もれていた、という点でしょうか。

また、欧米では「ディープテックは既存の産業を破壊し新たな市場をつくり得るもの」という解釈もありますが、これもやはり投資の対象という視点が強い印象です。

ユーグレナの成功は、欧米流の「ディープテック」としても代表例に挙げることができます。しかし、長年彼らを間近で見てきた人間としては、それではユーグレナの本質を正確に表現できないという思いがあります。

例えば、ユーグレナには「既存の産業を破壊する」というスタンスは全くありません。彼らがやってきたことは、微細藻類ユーグレナの大量培養にしてもバイオ燃料の製造にしても、既存の技術や研究を最大限にリスペクトしたものです。その上で、社会に実装するための「もう一歩」をいかにして踏み出すか、既存産業との協力によっていかに新たな市場をつくりだすか、ということに全力を傾けてきました。

こうした考えから、私は2019年に出版したIT批評家の尾原和啓さんとの共著『ディープテック 世界の未来を切り拓く「眠れる技術」』(日経BP)で、ディープテックを次のように定義しました。

---

1. 社会的インパクトが大きい
2. ラボから市場に実装するまでに、根本的な研究開発を要する
3. 上市までに時間を要し、相当の資本投入が必要
4. 知財だけでなく、情熱、ストーリー性、知識の組み合わせ、チームといった観点から参入障壁が高いもの
5. 社会的もしくは地球規模の課題に着目し、その解決のあり方を変えるもの

これを一言に凝縮すると、「**ディープテックとは、ディープイシューを解決するテクノロジーである**」と表現することができます。そして、そのためのテクノロジーは、知識製造業によってつくられるものであるはずです。

何度も繰り返しているように、私にとっては「課題解決」が最優先です。それこそが、これからの時代に真に必要なものだと考えています。課題解決において、テクノロジーは確かに重要な役割を果たします。しかし、だからといってテクノロジー自体が目的なわけではありません。目的はあくまで課題解決で、テクノロジーはそのための手段です。

ですから、ディープテックのテクノロジーは必ずしも「自前のもの」「最新のもの」である必要はありません。もし「眠れる技術」があるのなら、それも掘り起こして組み合わせていけばよいのです。

借りものでも、古いものでも、あるいは稚拙なものであったとしても、課題を解決できるのであればそれで構いません。ハイテクでも、ローテクでも、ニューでも、オールドでも、デジタルでも、アナログでも、効率的なものでも、人海戦術でも、使えるものは全て使えばよいのです。

むしろ重要なことは、あらゆるテクノロジーが**課題解決のための「集合体」**として存在しているかどうかです。いつでも、どこでも、誰でも、課題解決のためにテクノロジーを活用できるような環境をつくり出すこと。あるいは、そのようなプラットフォームを構築すること。つまりは、テクノロジーをある種の共有財産とすること。これが課題解決のための最短距離になると私は考えています。だからこそリバネスでは、自分たちがさまざまなプロジェクトを通じて構築してきた関係性資産を「**知識プラットフォーム**」と呼んでいます。

また、課題解決のスケールは大きければ大きいほどよいというわけでもありません。地球規模の課題解決は当然重要ですが、地域コミュニティレベルの課題であっても、当事者にとっては死活問題ということは多々あります。

問われるべきは、その課題がディープイシューか否か、という点です。その課題は個のQとPにもとづいているのか。その課題解決は多くの人の共感を得るミッションになり得るのか。その課題を解決することで世界を変えることはできるのか――。

これからの時代に求められるのは、スケールの大きな課題を解決してお金を稼ぐことではありません。課題解決のための思考と、それを実行するための手段が世界中に行き渡り、あらゆるディープイシューに対して解決の扉が開かれること、なのです。

であれば、これからの時代の課題解決のプレイヤーとなるのは「全ての人」ということになります。何も特定の人だけに課題解決を任せておく必要はありません。

大企業でも、中小企業でも、ベンチャーでも。大学でも、自治体でも、町工場でも。

大人でも、子どもでも、高齢者でも。都市でも、地方でも、先進国でも、新興国でも。あらゆる人が課題解決のプレイヤーになれるのがこれからの時代であり、つまりは知識製造業の新時代なのです。

ディープテックを世界の全ての人の手に

テクノロジーが共有財産となり、全ての人が課題解決に取り組む時代が到来する――。そんな夢のようなことが現実になるはずがない。そう思う方もいらっしゃるかもしれません。しかし私は、それは必ず叶う夢だと信じています。だからこそ、リバネスは「科学技術の発展と地球貢献を実現する」というビジョンを掲げているのです。そして、この夢は、想像していたよりも早い段階で実現するかもしれません。

私にそう思わせてくれたのは、株式会社ビプロジーの代表取締役社長CEO・CHOである平岡昭良さんでした。ビプロジーは２０２１年に策定した経営方針「Vision 2030」の中で、デジタルコモンズという概念を提唱しています。その考え方について、平岡さんはリバネスの冊子での私との対談記事で次のように説明してくれました。

丸　以前からデジタルコモンズという概念を提唱されていますが、どのようなものなのでしょうか。

平岡　まずコモンズというのは、「地球は全ての生物の共有財である」という考え方です。しかし、人間は地球温暖化や災害に繋がるとわかっていても、なかなか化石燃料の利用をやめることができないですよね。それはなぜかを表す経済学の法則に「コモンズの悲劇」というものがあります。例えば、ある共有の牧草地があったとします。自分の収入を上げるためにみんなが牛の飼育数を増やせば、いずれ牧草地は荒れ果て草が不足してしまいます。それが分かっていたとしても、自身の利益を追い求めるあまり「われもわれも」と頭数を増やし続ける結果、共有地は取り返しのつかないところまで荒廃していくんです。

丸　共有資産だからといって、それぞれが独占しようとすれば、資産そのものが失われてしまいます。まさに、今の地球と人間が直面している状況ですね。

平岡　だからこそ、共有財としてのルールを決め、見える化・見せる化することとが重要になります。牧草地の例では、誰が何頭、どういう飼い方をしているか、さらには、餌の種類や給餌方法、牛乳の生産・加工方法、最もリターンが大きくなる売り出し方などの知識やノウハウも共有財化すれば、資産を賢く分配しながら持続可能な形で利用できるはずです。この賢いやり方をデジタルの力で発見して、人の行動変容を促し、「コモンズの奇跡」を起こす。それがデジタルコモンズの目指す姿です。

出典：創業応援vol．24（2021年12月）

https://media.lne.st/contents/hiraoka-maru-BIPROGY

知識と知識の組み合わせによって新たな知識をつくりだすこと。そして新たな知識によって未解決の課題を解決すること。これが知識製造業の概念です。

この知識製造業の概念が世界中に浸透すると、何が起こるでしょうか。それは、あらゆる既存の知識が、課題解決のためのパーツになり得ることを意味します。このパーツを自在に組み合わせることによって、新たなテクノロジーを無限につくりだすことが可能になります。

ここにデジタルコモンズの概念を重ね合わせてみましょう。平岡さんの説明にあったように、デジタルの力で知識やノウハウを共有財化し、資産を賢く分配しながら持続可能なかたちで利用すること。これがデジタルコモンズの概念です。

では、知識製造業が浸透した世界にデジタルコモンズが実装されると何が起こるでしょうか。その世界では、あらゆるテクノロジーが、それがつくりだされた知識製造のプロセスも含めて、デジタル上に共有財産として蓄積されるようになります。デジタルコモンズにアクセスすることで、世界中の人々が、自分が取り組む課題の解決方法を「検索」できるようになります。仮にど真ん中の解決方法がなかったとしても、類似の課題を参照することによって、課題解決の道筋を立てることができるようになるでしょう。

つまり、その世界では、課題解決のためのコストが劇的に下がることになります。コストが下がるということは、実現のためのハードルも大きく下がるということです。したがって、あらゆるディープイシューがビジネスとして成立するようになります。

このようにして、「**テクノロジーが共有財産となり、全ての人が課題解決に取り組む時代が到来する**」という夢は現実のものになるはずです。そして実際に、世界はその方向にシフトし始めています。私はそのような時代が来ることが待ちきれません。このワクワクを、ぜひみなさんと共有したい。そう強く願っています。

第五章

4D思考で時代の先を読む

クリエイティブには方法論がある

２０２０年。２０２１年。２０２２年。この3年間ほど、時代の流れを感じたことはありませんでした。原因はもちろん新型コロナの感染拡大です。この間、世界各国で刻一刻と状況が変わっていきました。それぞれの状況に合わせて、それぞれの国が異なる対応を取りました。そうした情報がインターネットを通じてリアルタイムで入ってくることから、さまざまな情報が錯綜し、その情報に影響されてまた状況が変化していきました。何が正解かが誰にもわからない。いつこの状況が終わるのかもわからない。そしてまた情報が錯綜していく。そんなことの繰り返しだったように思います。

もちろん変化したのは情報だけではありません。私たちの生活にも、直接的な影響が数多くありました。なかでも最大のものは、「人と会えない」ということだったのではないでしょうか。感染拡大を防止するために、人と会ってはいけない。人が集まってはいけない。緊急事態宣言中は、家の外に出ることすら許されない。世の中にこれほどの「分断」が生まれた状況は記憶にありません。

その一方で、社会のインフラを支える人々は、そんな状況でも社会を止めないために働き続けていました。「いまはネットでなんでも注文できるから外出しなくてもなんとかなる」。では、その荷物を誰が運んでいたのでしょうか。「いまはリモートワークの環境があるから、家の中でも仕事ができる」。では、その通信回線を誰が管理していたのでしょうか。そんなかたちの分断が明らかになったのも、新型コロナの一つの影響でした。

本書を執筆している2023年6月現在、世界は新型コロナによる分断の時期に別れを告げて、前に進もうとしています。ここから再び、時代は新しい方向へと流れていくでしょう。ただし、これは単に3年前に戻るということではありません。人と人が会うことの大切さ、価値、そして喜びを再認識した上での新しい日常が始まるのです。

今回ほど急激な変化はそう起こらないとしても、時代が常に流れていることに変わりはありません。特に昨今は激動の時代であり、しかも日本は少子高齢化という大きな問題を世界に先駆けて抱えている状況です。変化を避けることはできません。

では、こうした変化の時代を生き延びるための最善の方法は何でしょうか。「変化に柔軟に対応することである」というのは模範的な解答ですが、この対応を実現できるのはごく一部の組織に限られるはずです。

なぜなら、当たり前の話ではありますが、「ものごとを成し遂げるには時間がかかる」からです。変化を認識してからその変化に合わせた対応をしようとしても、すぐに実現できるわけではありません。それが大きな組織であればなおさらです。

方針を決めるまでの時間、社内調整の時間、最終的な判断までの時間、検討チームを組成するまでの時間、そのチームが具体的な対応策を検討する時間……。ざっと考えるだけでも、膨大な手間と時間がかかることは容易に想像がつきます。これでは、変化に対応している間に、次の変化が起きてしまいます。

つまり「変化に柔軟に対応する」というスタンスでは、実際には変化に対応するどころか、常に変化に振り回される状態に陥ってしまうのです。

変化に対応するための最も効果的な方法は、「自ら変化をつくりだす」ことです。社会の変化を先導すること。社会の変化の先回りをすること。社会に変化をもたらすクリエイティブな存在になること。これが実現できるならば、変化の時代を恐れる必要はありません。なにしろその変化の中心にいるのは自分たちです。周囲を巻き込むことはあっても、周囲に引きずられて後手に回ることはありません。

ただし、変化をつくりだすといっても、それほど大げさに捉える必要はありません。

世界の全てに対して変化を起こす必要はどこにもありません。前章でも説明したように「自分たちのアセット」が活用できる範囲で変化を起こすことができればそれで十分です。イノベーションの本質を「ちりも積もれば山となる」と捉えて、できることを一つずつ積み重ねていくことと同じです。

さて、「新しい変化を起こすこと」は「クリエイティブであること」と同義です。一般的にクリエイティブという言葉は、創造性がなければなし得ないものだと考えられていますが、私はそうは思いません。

クリエイティブな存在であることも、世の中にクリエイションを起こすことも、ロジカルに考えて実行できることだと考えています。つまり、そこには方法論があります。そしてその大きな鍵を握るのが、「時間軸」の考え方です。逆にいえば、時間軸の考え方を抜きにして「新しさ」をつくることはできません。

私はこの「**時間軸を前提とする思考**」のことを、「**4D思考**」と呼んでいます。ものごとを3次元で立体的にとらえることに加えて、4つめの次元（=4th Dimension）として時間軸を導入して思考する、という意味です。本章では、このことについて考えていきたいと思います。

価値観の変化と社会の時間軸

そもそもの話として、「新しい」とは一体どういうことでしょうか。例えば、新しい取り組みを始める。あるいは、世の中に新しい価値を生み出す。こうした新しさは、社会から「よいもの」として評価されます。では、古いものと新しいものでは何が違うのでしょうか。また、「これは新しい」と評価されるものと「これは奇抜だ」と受け入れられないものの間には、どんな差があるのでしょうか。

身近な例で考えてみましょう。昨今、東京ではサウナが流行しています。トップトレンドといってもいいくらいです。サウナで「整う」ことが、いわゆる「イケてる」ことだとされています。つまり、「サウナ=新しいもの」というのが今の人々の理解になっています。

しかし、少し考えればわかることですが、サウナ自体は別に新しいものではありません。昔からサウナに通っている人からすれば、昨今のトレンドは行きつけのサウナが混雑して迷惑な話かもしれません。

サウナの前のヘルスケア系のトレンドといえば、ジョギングでしょうか。最近は少し落ち着きましたが、これも一時期は「新しい」のトップランクに位置していました。昔からジョギングを習慣にしている人からすれば、ふしぎな現象だったのではないでしょうか。あるいは、こちらの場合は流行による実害がないぶん、「ようやく世の中が自分に追いついた」と嬉しく感じられたかもしれません。

要するに、社会における「新しさ」は常に変化しています。何が新しいかを決めるのは、社会の人々の理解であり意識です。**人々が「新しいと思うもの」が「新しいものである」**、という同語反復的な構造がここにはあります。

もう少し細かく分析してみましょう。人が何かを「新しいと思う」ということは、そこにはその人の意思もしくは欲求（英語でいうならWill）があるということでもあります。

「自分もそれがやりたい」
「自分もそうなりたい」
「自分もそうしたい」

人々のそういった意思の対象になるものが「新しい」と呼ばれる、というわけです。したがって、「以前はやりたかったが、今はそう思わない」ものは「古い」と呼ばれ、「新しいかもしれないが自分はやりたいとは思わない」ものは「奇抜」だと呼ばれる、ということになります。

そういった意思のベースになっているのが価値観です。何をよいことだと思い、何を悪いことだと思うか。何を古いと思い、何を新しいと思うか。これらは価値観によって判断されており、この価値観自体も常に変化しています。

いまの日本の20代〜50代の世代は、時系列で並べるとバブル世代、ミレニアル世代、Z世代の3つに分類することができます。この3つの世代は、それぞれに独特の価値観があります。

例えば「消費」に関していえば、バブル世代にとって消費は「社会的地位の表現」であり、高級品やブランドを好む傾向があるといわれます。これに対してミレニアル世代では「モノ消費」よりも「コト消費」が優先され、学びや旅行など、豊かな人生につながるものが好まれます。そしてZ世代では、消費は「個性の主張」となり、またそもそも「所有にこだわらない」という新たな傾向が出てきています。

このように消費の考え方に絞ってみるだけでも、人々の価値観が時代と共に大きく変化していることがわかります。では、なぜこれほど大きな変化が生まれるのでしょうか。それは「人々を取り巻く社会」が時代の流れと共に変わっていくからです。

人の理解は、外部環境の変化に大きな影響を受けます。例えば「海が汚くなった」という自然環境の変化があったとします。すると、「海が汚くなる原因はなんだろう」「どうやらプラスチックごみが増えているようだ」「プラスチックごみを減らさなければいけない」というように、段階的に人の理解も変化していきます。つまり**課題が明確になって初めて、人の理解が始まる**、というわけです。

あるいは、台風の数が増えて、被害の規模も年々増しているとしましょう。この場合は「気候変動が本格的に問題になってきた」という理解も進みますが、同時に「露地栽培の野菜は台風の被害を受けやすい」という別方向の理解も進むかもしれません。台風に関するメディアの報道では、それによる被害の情報もセットになって繰り返し流されるからです。

すると「気候の影響を受けづらい栽培方法はないだろうか」「植物工場なら、気候にかかわらず安定した生産が可能らしい」「植物工場には抵抗感があったが、そうも言ってられない状況だ」「植物工場の野菜は露地栽培より清潔というメリットもあるようだ」という流れで、急に植物工場への理解が進むことになります。

自然環境の変化や気候変動は、人々の理解が変化した結果として、政治の方向性に影響を与えることもあります。すると、その変化がまた人々の理解に影響し、ぐるぐると変化の連鎖が起こることになります。こうして形成されるのが「社会の時間軸」です。

さまざまな要素が複雑に絡み合った結果である社会の時間軸を予測することは、どれほどＡＩが発達したとしてもおそらく不可能です。なぜならそれは、「その場にいる人の肌感覚」や「その場が醸し出している雰囲気」によって左右されるものであり、ときには人間ならではの勘違いや思い込みも含んだ上での変化だからです。

どれほど大量のデータを積み上げたとしても、あるいはデータに依拠せざるをえないからこそ、機械的なアルゴリズムがこうした人間の「曖昧さ」や「うつろいやすさ」を完璧にトレースすることはできないのではないか。私はそのように考えています。

そして、機械にはできないことだからこそ、**時間軸をしっかりと捉えることには大きな価値があり、クリエイティブの源泉にもなり得る**のです。

テクノロジーの価値は「使えるかどうか」で決まる

社会やトレンドに独特の時間軸があるように、テクノロジーにも独特の時間軸が存在します。トレンドの新しさが人々の理解や意識によって左右されるものであり、時にはリバイバルとして後戻りすることがあるように、テクノロジーの価値もまた「時系列的な新しさ」のみによって決まるわけではありません。

なぜならテクノロジーは、それが開発された瞬間に「使われる」わけではないからです。往々にして、テクノロジーの誕生と、それが活用されるタイミングにはずれが生じます。「最新のテクノロジーが常に最も優れたテクノロジーであるとは限らない」のです。

例えば前章でも紹介したように、微細藻類ユーグレナに関する研究は１９５０年代から進められていました。その成果にようやくスポットライトが当たったのは、ユーグレナ社がユーグレナの屋外大量培養に世界で初めて成功した２００５年のことでした。

また、現在では完全にデジタル領域のメインストリームとなっているＡＩですが、この端緒も同じく1950年代まで遡ることになります。数度のブームとその後の低迷を経て、2012年にディープラーニングが大きな成果を出し、さらに10年後に生成AIが急激な進化を遂げたことによって、ようやく軌道に乗ったのが現在のAIです。

あるテクノロジーが社会で存在感を持ち始めると、メディアは「これまでにない、全く新しいテクノロジーが登場した」という表現で取り上げます。このイメージが「最新のものが最良である」という一般的なテクノロジー観へとつながっています。しかしその実態は、ユーグレナやAIの例のように「社会から見向きされることなく、ある分野の奥底で、ほとんど眠った状態のテクノロジーだった」ということが往々にしてあるわけです。

古いテクノロジーは、決して時代遅れなわけではありません。同じように、新しいテクノロジーが必ずしも時代にマッチしているわけでもありません。**テクノロジーの価値とは、**その誕生が古いか新しいかではなく、「**それが社会でどう使われるか**」によって発現するものだからです。

だとすれば、重要になってくるのは、テクノロジーを「いつ使うのか」という時間軸です。そしてテクノロジーにとっての時間軸には、2つの重要なタイミングがあります。

一つは、社会にとってそのテクノロジーが本当に必要なタイミングで、適切に拾い上げることができるかどうか。その時々で社会が抱えている課題を、あるテクノロジーが解決できるとすれば、それは「社会とテクノロジーのタイミングが合った」ということになります。

もう一つが、そのテクノロジーと組み合わせるための周辺のテクノロジーが、適切な状態にあるかどうか。例えばドローンがここ数年で急激に普及した背景には、バッテリーやモーターや情報処理システムの進化があります。そのどれか一つでも欠けていたとしたら、現在のドローンは存在しません。

また、バッテリーやモーターや情報処理システムが進化した背景にも、コンピューター関連技術の進化という要素が存在します。一つのテクノロジーの進化は、さまざまな要素が入れ子状に組み合わさることで実現しているのです。

このように、社会のタイミングと周辺技術のタイミングが揃って初めて、テクノロジーは本来の価値を発揮することができます。逆にいえば、社会のタイミングと周辺技術のタイミングが合わなければ、テクノロジーの価値は埋もれることになります。

前章でも説明したように、これからの時代は課題解決の時代です。課題を解決するための知識製造において、テクノロジーは極めて強力な手段となります。そして、そのテクノロジーをうまく機能させるためには、「テクノロジーには独特な時間軸がある」という認識が欠かせません。

研究者は時間軸の先を見ている

テクノロジーに独特の時間軸があるというのは、ふしぎな話でもあります。ストレートにいってしまえば、なぜ研究者は「すぐに役に立つ」テクノロジーをつくることができないのでしょうか。なぜ研究開発型のベンチャー企業は「今の話」ではなく「未来の話」ばかりをするのでしょうか。

テクノロジーを開発している研究者は、比喩的に「あの人は宇宙人だから」といわれることはあっても、われわれと同じ社会に生まれ、われわれと同じ時代を生きている人間です。それにもかかわらず、研究者の知識は社会のはるか先を行き、開発したテクノロジーは独特の時間軸に入り込んでしまいます。

この謎を解く鍵は、まさに研究者自身の思考方法にあります。第三章で説明したように、あらゆる研究は研究者の個人的なクエスチョンからスタートします。研究者がどこでそのクエスチョンを見つけるかといえば、それは現実の社会です。つまり「クエスチョンの素材」はわれわれと同じ、ということです。

しかし、研究者にはそれぞれの専門分野があります。そして研究者は、その独自の視点からクエスチョンを掘り下げていきます。このプロセスによって、研究者の知識は社会一般のレベルから離陸し、自由な飛翔を始めることになります。

目の良い人がより遠くを見渡せるように、耳の良い人がより遠くの音が聞こえるように、研究者は自らの専門的な視点にもとづいて、社会一般とは異なる範囲で思考し、想像し、新たな地平を開拓していきます。その結果、社会と研究者では到達している「現在地」が異なる、という現象が起こるわけです。これが、テクノロジーの時間軸が社会とずれてしまう原因です。

社会と研究者の現在地が異なるというのは、両者の間では「理解のタイミングが異なる」ということでもあります。例えば研究者は、まだ誰も気づいていない課題を見つけ出し、その重大性を先回りして理解した上で、解決に取り掛かります。

一方、社会の側では、課題が目の前の現実となってから理解が始まります。社会全体に理解が浸透するには、そこからさらに時間がかかることになります。

これだけ理解のタイミングが異なれば、研究者のやっていることが社会からは役立たずに見えてしまうのも仕方ありません。研究者の視点は未来にあり、社会の視点は現在にあります。「誰も気づいていない課題」に対する解決策が、その時点では役に立たないように見えるのは当然のことです。

しかし、このずれがあるからこそ、社会の課題が迅速に解決されるのもまた事実です。何しろ人々が課題を認識したときには、すでにどこかの研究者によって解決策が提示されているわけです。課題が広まってから対処を始めることに比べれば、そのメリットは計り知れません。すぐには役に立たないとしても、「知識に多様性があること」には大きな意味があります。その多様性は、解決できる課題の多様性でもあるからです。

とはいえ、大学で行われる研究ならともかく、研究開発型ベンチャーの場合は「すぐには役に立たない」状態を放置するわけにはいきません。それではビジネスとして成立しないからです。

同じことは、本書でずっと強調してきた「個のQとP」を起点とするビジネスにも当てはまります。イノベーションとは新しさであり、時代の先を行くものであり、新たな市場を創造するものです。しかし、だからといって、「時代が追いつくのを待つ」という悠長なことを続けるわけにはいきません。

また、課題解決には時間がかかるものです。その課題が困難なものであればあるほど、あるいは課題の規模が大きければ大きいほど、解決には時間を要します。研究開発には多額の費用も必要です。その資金を捻出するためにも、うまくビジネスとして成立させることが求められます。

こうしたハードルを克服するために必要なのが、まさに本章のテーマである4D思考です。時間軸が見えていなければ、時代の先を行く新しいアイデアは、「機が熟す」までひたすら待つしかありません。そこを「あえて待つ」のも一つの戦略ではありますが、待つにしても一定の見通しは必要です。

その点、社会がどのような時間軸で進んでいるのかを俯瞰的に捉えられれば、自分たちが取り組んでいる課題解決の切り口をアジャストして、社会にも受け入れられるかたちのビジネスとして「着地」させることができます。まずはこのポイントに着地する、次はこの部分の足場を固める、そしてその先で大きくジャンプする、といったマイルストーンを適切に置くことができるのです。

テックプランター出身ベンチャーに「人と自然が共生する世界をつくる」というビジョンを掲げるイノカという会社があります。国内有数のサンゴ飼育技術を持つアクアリスト（水棲生物の飼育者）と、東京大学でＡＩ研究を行っていたエンジニアがタッグを組み、２０１９年に創業したベンチャー企業です。飼育者の職人知にＩｏＴ・ＡＩ技術を組み合わせることで、任意の生態系を水槽内に再現する「環境移送技術」をコアテクノロジーとしているのですが、これがどのようなビジネスになるのか、ピンと来る人は少ないのではないでしょうか。

しかし、そんなイノカは２０２３年４月18日に資生堂との共同研究に向けた連携協定を締結しました。資生堂のプレスリリースでは、その目的について次のように書かれています。

> 化粧品成分が海洋生態系に対して与える影響を評価するための今回の連携では、海洋生物に甚大な影響をもたらすことが予測される「海水温の上昇」をは

じめ、想定される未来の環境変化のシナリオをラボ内の水槽に再現することにより、日焼け止めで使用している成分など、化粧品の様々な成分が、サンゴ礁さらにはその他生物を含めた海洋環境全体に与える影響を評価します。

つまりこのイノカと資生堂の連携協定は、サステナビリティへの貢献が企業に求められる昨今の社会情勢や、2021年6月に発足した国際的なイニシアティブであるTNFD（Taskforce on Nature-related Financial Disclosures：自然関連財務情報開示タスクフォース）などの時間軸を両社が見越した上で実現したものだったといえます。

第二章でも説明したように、従来の競争型ビジネスであれば、目の前には市場があり、そして競合他社が存在します。市場も競合も、調査をして分析することができます。どうすれば勝つことができるかという戦略を立案することもできますし、それを実行するための計画を立てることもできます。

しかし、課題解決を最優先とする知識製造業においては、目の前に既存の市場はありません。課題を解決することによって、新たに市場をつくっていくのが知識製造業です。この場合は、社会の時間軸を俯瞰的に捉ながら、「**どうやって自分たちの時間軸を設計**

していくか」を考えることが戦略になります。いわば長期的な視点と短期的な行動を両立させることが必要となるわけです。その前提となるのが、4D思考なのです。

直感が確信に変わる4つの視点

ここからは4D思考の鍛え方、つまり「**時間軸がわかるようになるための方法論**」をお伝えしたいと思います。その方法論とは「**世界4カ所以上の都市を実際に訪れてみる**」という極めてシンプルなものです。つまり4D思考の由来は、「時間軸(=4th Dimension)にもとづいて思考する」という意味だけでなく、「4地点の観察にもとづいて思考する」という意味でもあるのです。

4都市を自分の目で見て、現地の空気を肌で感じること。その上で、それぞれの都市の差異を比較すること。このプロセスを通じて、社会の時間軸が浮かび上がってきます。そして、世界の流れを俯瞰することができるようになります。

一般的に企業の海外視察においては、いわゆる「最先端」とされている国や地域を訪れます。デジタルであればアメリカ、農業ならオランダ、製造業ならドイツ、といった具合です。

そして日本に戻ってきて、こう言うわけです。

「いやー、あちらはやっぱり進んでますよ」

「日本も頑張ってるんですけど、ちょっと足りてないですよね」

「どうせやるなら、あのくらいを目指さないと」

よく聞く話ではありますが、残念ながらこれは「不毛な海外視察」の代表例です。最先端を見ることには、もちろん意味があります。しかし「最先端を見ること」以上の意味はありません。なぜかといえば、それは最先端と日本の比較にしかならないからです。

両国の差異には一体どのような意味があるのか。なぜ視察した国を目指すべきなのか。そもそも、その最先端が正しい方向性だとなぜ判断できるのか。こうした本質的なことは、「あっちとこっち」という2国間の比較では何もわかりません。

では、ここにもう1カ国、例えば視察の目的がデジタル領域であればシンガポールも追加してみましょう。つまりアメリカ、シンガポール、日本の3カ国の視点を持ってみるわけです。すると、今度は3カ国間での「平均値」が見えてくるようになります。

「アメリカはUber、シンガポールはGrabが浸透しているが、日本の配車アプリはまだまだ」

「デジタルを活用した遠隔医療もアメリカが強い。一方でシンガポールは独特の発達をしているようだ」

「日本の技術水準は低くないが、社会へのデジタルテクノロジーの導入は遅れている」

このように平均値が見えてくると、ある領域における「いま」が、かなりの精度で立体的に把握できるようになります。また、3カ国間の差異を通じて、それぞれの国の背景や事情といったものも見えてくるようになります。


ここにさらにもう1カ国、普通に考えればデジタル領域の視察先にはならない東アフリカのルワンダを入れてみるとどうでしょうか。すると、視野が一気に広がることになります。

「ルワンダでは配車アプリどころか、まだまだ道路が整備されていない」

「しかし、実はすでにドローンが普及していて、血液や医薬品を配送している」

「医療体制も整っていないが、遠隔診療のエコシステムは急速に発展している」

これらの例は、全てルワンダで実際に起きている話です。道路すら整っていないルワンダですが、実はドローンの普及では世界のトップを走っています（その立役者となったのはアメリカのベンチャー企業であるZipline International Inc. です）。また、ドローンをインフラとすることで、その他の領域のデジタル化も急速に進んでいます。

そして、ルワンダでの実証を経て、現在は同様のサービスがアメリカや日本にも導入されつつあります。先進国とはインフラが発達する時間軸が異なるため、都市の発展の仕方も、国としての発展の仕方も、従来とは違う方向性になると考えられます。

日本、アメリカ、シンガポール、ルワンダ。こうして4カ国の状況を並べてみると、それぞれの国でテクノロジーが導入されるタイミングが異なることがよくわかります。3カ国の比較では「現在のテクノロジーの平均値」の把握にとどまっていたものが、4カ国の比較をすることで「**テクノロジーが社会に導入される時間軸**」が浮かび上がってきます。言葉を変えれば、ざっくりとした世界の流れのようなものが俯瞰的に見えてくるはずです。

自国のことしか知らなければ、ものごとの判断は主観で行うしかありません。つまり勘に頼るしかない状況です。ここに他国を加えて2カ国を知れば、自国との比較によって客観性が生まれます。もう1つ加えて3カ国を知ることができれば、平均値というデータを手にすることができ、ものごとが立体的に見えてきます。さらにもう1つ加えて4カ国になれば、データの推移が追えるようになり、その先の予測もある程度つくようになります。つまりはこれが時間軸の感覚です。

4D思考の方法論は、グローバルな事象以外でも応用可能です。例えば「北陸地方の○○市を活性化したい」という人がいたとしましょう。もしそこに「企業誘致で○○市を活性化したい」という具体的な目的があるのであれば、国内で企業誘致に成功している3つの自治体を視察することで、「どのようなタイミングでどのようなアクションを仕掛けるべきか」という時間軸も含めた知見が得られるはずです。

ものごとを考えるときには、その時間軸も含めて考えること。これが4D思考の本質です。未来の話に正解はありません。結局のところ、そこで問われることになるのは人間の想像力です。ただし、人間の想像力が及ぶ範囲は、視点によって制約を受けるものです。ものごとを「点」でしか見ていなければ、想像力もその範囲にとどまります。「点」が「線」になり、「線」が「面」になり、「面」が「立体」になれば、文字通り、ものごとの見え方は変わってきます。そして、**時間軸が見えることで直感が確信へと**

変わるのです。

既存の知識の組み合わせによって、新たな知識を生みだすこと。これが知識製造業の概念です。その組み合わせを平面的な視点で行うのか、それとも立体的な視点で行うのか。とにかく今を重視する短期的な視点で行うのか、それとも中長期的な時間軸を見据えた視点で行うのか。どちらがより豊かな知識をつくりだすことができるかは、明らかでしょう。つまりはこれが、4D思考なのです。

ITからリアルへの「揺り戻し」

本章の最後に、私自身の4D思考の実践例を紹介したいと思います。2015年3月に私はユーグレナ、SMBC日興証券、リバネスの3社による**リアルテックファンド**※を立ち上げました。現在は同ファンドを運営するリアルテックホールディングスで、ユーグレナ社の取締役代表執行役員CEOである永田暁彦さんと共同代表を務めています。

リアルテックファンドは、その名の通り「リアル」なテクノロジーに対して投資を行うファンドです。研究開発型ベンチャーは社会実装までに長い時間を必要とするため、シード段階やアーリー段階では資金調達が難しいという課題があります。逆にいえば、シードやアーリーの段階こそが、最もお金が必要なタイミングでもあります。リアルテックファンドは、そこにリスクマネーを届けるべきだという思いで立ち上げたファンドです。

ここ数年、大学発ベンチャーに対する国の支援が充実してきていることもあり、ものづくり型や研究開発型を対象とするファンドの認知度は向上しています。しかし、リアルテックファンドを設立した２０１５年の時点では、これは「逆張り」の最たるものでした。

当時、ファンドといえばその対象はＩＴであり、投資するのは短期的なリターンが見込めるミドル段階以降、というのが常識でした。ですから、世間的には「リアルテックファンドは儲かるはずがない」という見方しかされませんでした。

もちろん、私たちは儲けるためにリアルテックファンドを始めたわけではありません。念頭にあったのは、「科学技術の発展と地球貢献を実現する」というリバネスのビジョンを達成するためには、絶対にものづくり型や研究開発型のベンチャー企業が必要だという思いでした。

しかし同時に、これは「志」だけで始めたものでもありませんでした。世界の時間軸を考えれば、**絶対にITからリアルへの揺り戻しが起こる**、という確信がそこにはあったのです。

リバネスは2010年にシンガポール、2011年にアメリカ、2013年にマレーシアに、それぞれ子会社を設立しています。つまり、ここに日本を加えて、4カ国の視点から世界を見ることができていました。また個人的にはそれ以前から、アメリカの西海岸と東海岸、ヨーロッパ（ロンドンやパリ）、シンガポール、という4都市の「定点観測」を毎年続けていました。そうした中で得ていた確信が「リアルへの揺り戻し」でした。

その8年前の確信は、ここ数年で結実しつつあります。リアルテックファンドの投資先から、次々にIPOやM&Aの事例が生まれているのです。

2023年6月時点での最新事例は、株式会社ispaceによる東京証券取引所グロース市場への上場です。「月面着陸船及び月面ローバーを用いた月面輸送・月面資源開発事業」に取り組む同社のケースは、日本初の宇宙ビジネスでの上場でもありました。

宇宙ビジネスという言葉からは、ついSF的な連想をしがちですが、その本質は「リアル」そのものです。ｉｓｐａｃｅが取り組んでいるのは「どうすれば人は月へものを運ぶことができるのか」という物理的な課題解決にほかなりません。

もちろん、そこではデジタルな技術も活躍しています。しかし、デジタルではものを運ぶことはできません。ものを運ぶためのロケットをつくることもできません。人間が人間である以上、「リアルであること」を避けることはできないのです。

私が手がけているファンドには、もう一つ、**ジャーミネーションファンド**※というものもあります。２０２３年1月から運用を開始しているものですが、この特徴はなんといっても「**無期限ファンド**」であることです。日本初の取り組みであり、世界的にも極めて稀なチャレンジとなっています。

少し具体的な説明をすると、ジャーミネーションファンドは、情熱をもってディープイシューの解決に挑戦するアントレプレナーが創業した国内ベンチャー企業へのシード投資に特化したファンドです。ジャーミネーションの名称は、種（シーズ）の発芽・芽出し（ジャーミネーション）を促進する役割に特化することに由来しています。そして、その存続期間は「無期限」です。

リバネスの子会社である株式会社リバネスキャピタルが無限責任組合員として本

ファンドを運営し、有限責任組合員には株式会社リバネス及びリバネス・リバネスキャピタルのメンバーが参画しています。本ファンドでは、全ての組合員が主体的にベンチャーの成長に寄与するとともに、大企業や中小企業を巻き込んだ新たなプロジェクトを仕掛けることで、保有株式の売却を第一の目的としない新しいファンドのあり方を実現することを目指しています。

では、なぜジャーミネーションファンドは存続期間を「無期限」としたのか。ここには二つのメッセージが込められています。一つは、投資先のベンチャー企業の経営者・研究者に対して、IPOやM&Aといったイグジットの期限に振り回されることなく、研究開発と社会実装に対して心身両面で最大限のリソースを割いてもらいたいということ。もう一つは、社会実装までリバネスがいつまでも伴走するつもりでいるということです。

ただし、無期限とはいっても、いつまでも結果を出さないことを許容するものではありません。リバネスは知識プラットフォームを活用して投資先企業の研究開発の促進を、リバネスキャピタルは投資先企業の経営基盤の構築にそれぞれ伴走することで、少しでも早く、確実に、投資先企業を通じた科学技術の社会実装への道筋を作っていくことが目標です。

つまりこれは、無期限という時間軸を設定することによって、結果的に「科学技術の発展と地球貢献を実現する」というリバネスのビジョンを最速で達成できるはずだ、という仮説にもとづく挑戦なのです。その根底に４Ｄ思考があることは、いうまでもありません。

※リアルテックファンド https://www.realtech.holdings/
※ジャーミネーションファンド https://germination.fund/

第六章

日本の製造業が再び世界を変える

日本の強みは「すり合わせ」にあり

何度も繰り返すのも気が重くなりますが、日本の製造業は危機に瀕しています。かつて世界を席巻したMade in Japanはとうの昔にMade in Chinaに取って代わられ、外資による日本の大手メーカーの買収も、もはやめずらしいことではなくなりました。グローバルがダメなら国内はどうかといえば、ご存知のとおり国内市場は少子高齢化によって縮小の一途をたどっています。

日本のＧＤＰの約２割を占め、他の産業への波及効果も大きい製造業の将来は、日本の将来に直結します。現状のまま、ずるずると衰退するわけにはいきません。仮に変革に痛みが伴うとしても、その先に明るい光が見えるのであれば、行動を起こすことに躊躇はないはずです。

しかし最大の問題は、まさにその「先が見えない」ことにあります。あれもダメ、これもダメ、それもダメ。何かを変える必要があることはわかっていても、変えた後のメリットははっきりとは見えず、変えることのデメリットばかりがクリアな輪郭で迫ってくる。その恐怖心から、結局のところ身動きが取れない……。

こういうときには、原点に立ち戻る必要があります。日本の製造業の強みは一体何なのか。どこが優れていたから、日本は世界のトップに立つことができたのか。全てはただの巡り合わせだったのか、それとも何かしらの必然性があったのか。こうした問いに答えを出すことができれば、そこを足掛かりとして、これから進むべき方向を考えることができるはずです。

実際のところ、危機に瀕している現状は、日本の製造業の原点や強みを見極めやすいタイミングでもあります。この状況でも力強さを失っていない企業や業態は、その要素を高い純度で表現していると考えられるからです。

その意味で私が注目しているのは、日本の部品産業です。例えば世界のスマートフォン市場において、日本企業の存在感はゼロに等しい状況です。しかし、スマートフォンに搭載されるカメラのセンサーに限定すれば、世界のトップシェアを握っているのはソニーです。

また、あらゆる工作機械は回転と直線の組み合わせによってその動きをつくりだしていますが、この直線運動を滑らかにして効率化する直動システムで世界シェアの５割を誇るのが日本のＴＨＫです。その他にも、大規模プラントのポンプ部品を製造する荏原製作所や、農業で土を耕す「耕うん爪」の小橋工業など、日本には有名無名を問わず、さまざまな分野の部品で世界のトップを競う企業が存在しています。

同様のコンセプトで経済産業省が選定している「グローバルニッチトップ企業100選」を見ると、そのバリエーションの豊かさに驚かされます。

特定のプロダクトやジャンルとしての存在感は薄れたとしても、世界の産業を支える部品や機構や要素においては、相変わらず日本の製造業は世界を席巻しています。そしてその強さを支えているのが、日本のものづくりのクオリティです。

では、そうした**日本のものづくりのクオリティ**は、どこから生まれているのでしょうか。私は、**その本質は「すり合わせ」にある**と考えています。

すり合わせという言葉は、英語ではうまく表現することができません。近いものとしてはcommunication、adjustment、integrateといったところが挙げられますが、いずれも言葉足らずです。要素として間違っているわけではないのですが、「それだけではない」という感が否めません。

私が考える「すり合わせ」は、次のような概念です。

人と人が、ある課題を解決するために、お互いの知識を組み合わせながら、全く新し

い方法を生みだすこと。AかBかの議論の中から、Cという新たな答えを導き出すこと。

これこそがすり合わせであり、日本の製造業がやってきたことです。AかBかの二者択一や、トップダウンの意思決定には、すり合わせが生まれる余地はありません。しかし、現場中心の日本のものづくりにおいては、すり合わせは必然的なプロセスとなります。

リバネスにこれを教えてくれたのは、東京都墨田区の町工場である浜野製作所でした。浜野製作所との出会いは２０１２年までさかのぼります。当時、浜野製作所でインターンをしていた一橋大学の学生が、リバネスの代表取締役社長ＣＯＯである高橋修一郎の高校の後輩だったことが最初のきっかけです。

そこから代表取締役の浜野慶一さんと意気投合し、「何か一緒に面白いことをやりたいですね」という話をしていたのですが、最初にリバネスから相談を持ちかけたのが「バイオ実験機器の製造」でした。

現在はリバネスの執行役員である長谷川和宏が、バイオ研究の現場で使われる実験機器の効率が大きく上がるアイデアを思いついたのですが、当時の私たちにものづくりのノウハウはありませんでした。そこでリバネスからは用途と目的だけをしっかりと伝え、作製方法や形状は浜野さんにお任せするというかたちで進めてみたところ、欲しい機能はそのままに、圧倒的に加工工程が少なく、原価を安く上げられるバイオ実験機器「MEGA COMB」が誕生したのです。

浜野さんは「別にそんなに難しいことをやったわけではないですよ」と謙遜していましたが、私たちは「こんなことが可能なのか！」「町工場はこんなにすごいのか！」と大いに驚きました。

町工場の製造に関する知識の豊富さと確かさ、そして「すり合わせ」によって生みだされる可能性。浜野製作所のおかげで、リバネスは日本の製造業の本質的な強さを実感することができたのです。

ちなみに、浜野製作所についてはこの後もたびたび言及することになりますが、興味のある方はぜひ浜野さんの著書『大廃業時代の町工場生き残り戦略～浜野製作所奮闘記～』(リバネス出版) をお読みください。そこには、まさに新時代の町工場のあり方が記されています。

製造業も知識を売る時代へ

日本の製造業におけるすり合わせのプロセスは、「知識と知識を組み合わせることで新たな知識をつくりだす」という知識製造業のプロセスときれいに重なります。私にとって、**日本のものづくりとは知識製造業そのもの**なのです。

トヨタもホンダもソニーも、その本質は常に製造の現場にありました。経営幹部と製造現場の人間が、あるいはメーカーと町工場の人間が、「世界に誇れるものづくりをしよう」というビジョンのもとで、膝を突き合わせて互いの知識を出し合い、課題を一つずつ解決していく。日本のものづくりは、これで世界のトップに立ちました。

「日本には独創的な発想がない」「日本は欧米の真似ばかりしている」という嫉妬混じりの揶揄をものともせずに、小型化や省エネなどの課題解決で他に類を見ない性能を実現し、結果的に世界を席巻できたのも、すり合わせを軸にしたものづくりの真骨頂だといえるでしょう。

ものづくりの工程を大別すると、「開発」と「製造」にわけることができます。いずれの工程もかつては人の仕事でしたが、現在では製造を担うのはほとんどが機械であり、したがってオートメーション化が可能になりました。基本的には設計図さえあれば、あとは加工するための機械と組み立てる材料が揃っていれば、製造は世界のどこでも行うことができます。いまはそういう時代です。

しかし開発を担うのは、人間以外にはありえません。設計図に行き着くまでのプロセスは、これまでもこれからも人間の仕事です。どれほどデジタルテクノロジーが発達したとしても、です。

ものづくりには必ず目的があり、解決すべき課題があります。「何のためにつくるのか」という問いは、「思い」をもつ人間にしか発することができません。そして、その具体的な解決策を考え抜き、設計図という形式知に落とし込むために必要となるのがすり合わせです。

そもそもの話として、ものづくりとは「もの」をつくるプロセスです。ものとは、つまりはアナログであって、その全てをデジタルに変換することはできません。デジタルの時代においても、すり合わせが必要な領域は必ず残ります。むしろデジタル全盛の時代にこそ、すり合わせの価値はこれまで以上に増していくことになります。デジタル化できないということは、コピーすることができないということですから。

日本は、確かにデジタルの分野では大きく出遅れています。汎用的なものづくりの価格競争力でも、新興国には及びません。しかし、すり合わせが必要なものづくりにおいては、現在も卓越した力があるはずです。であれば、日本はここで勝負するべきでしょう。かつての科学技術立国、ものづくり立国としての底力は、まだ残っています。この資産を有効活用しない手はありません。

しかし、そのためには、乗り越えなければならない大きな課題があります。それは、「すり合わせの知識がお金にならない」という日本の商習慣です。

リバネスは2013年の夏に墨田区から依頼を受け、区内3551社の町工場を全て巡るという調査を実施しました。この調査を通じて私たちが「町工場の課題」として結論づけたのが、次の3点でした。

①素晴らしい技術と経験があり、課題解決につながる知識をもつ町工場が数多く存在する一方で、経営に行き詰まりを感じている町工場もまた多いという課題

②その多くが販路開拓に課題を掲げている一方で、新規事業という発想がない事業者が半数以上を占め、既存事業の枠を出ることができていないという課題

③町工場の多くは企画や設計に付加価値を出していたとしても、商習慣として、見積りは部品単価×数量で算出する。つまり、すり合わせの知識が、見積書上は「ないこと」になってしまっているという課題

最後の課題の背景には、長く続いた大手企業を頂点とするサプライチェーンの影響があります。お互いによく知った関係であれば、見積書に項目として計上されていないとしても、「あの町工場はいつもよくやってくれるからこの金額は適切」という暗黙の了解が生まれます。

しかし、同じ見積書を異分野などの新しい相手に出したとしたらどうでしょうか。前述のような暗黙の了解がない場合、普通はコストを下げるために同じ見積り依頼を例えば中国などの海外工場にも出します。すると、同じ部品の値段が、日本は数倍高くなるということが起こります。これでは、日本の町工場に注文することはありません。

実際には、単に製造コストを部品代として出してくる海外の工場と、相手が困っているものづくりの課題を解決できる知識を付与してくれる日本の町工場では、そもそもの業務内容が異なります。

しかし、日本の町工場はそれを部品代にインクルードしてしまうため、自社が提供し

ている付加価値を適切に説明できていません。これでは新規事業への進出が難しくなるのも当然です。長く続く商習慣が、日本の製造業の足枷になっているのです。

第二章で説明したように、異分野に「ブリッジ」するためには、まずは相手に自分のことを理解してもらうための適切な自己紹介が欠かせません。**新しいチャレンジに取り組むときこそ、「当たり前のこと」をしっかりと行う**ことが重要です。

ベンチャー支援は製造業の責務

ものづくりには、汎用的なものとクリエイティブなものがあります。汎用的なものづくりとは、いわば「すでに答えが出ているもの」です。形式知化されている、と表現することもできます。すでに形式知が確立されているのであれば、わざわざそれを変える必要はありません。もっと別のことに時間を使うべきです。

これに対して、クリエイティブなものづくりとは「まだ答えが存在しないもの」であり、未解決の課題に対する挑戦を意味します。

まさにそうした挑戦に取り組んでいるのがベンチャー企業です。以前はものづくりや研究開発型のベンチャーを立ち上げることは非常に困難でしたが、現在では３Ｄプリンターやレーザーカッターなどのデジタルファブリケーションが充実していることもあり、モックアップや初期のプロトタイプ作成までは比較的スムーズに進めることが可能です。

しかし、社会実装や製品化が視野に入ってきた段階で、往々にして事態は暗礁に乗り上げます。プロトタイプのクオリティをブラッシュアップする方法がわからない。製品としての耐久性を担保する方法がわからない。量産化のための構造設計がわからない。製造コストの下げ方がわからない。何を優先して何を後回しにすべきかの判断基準もわからない……。

こうした事態に陥るのは、ある意味では当たり前のことでもあります。つくろうとしているものが画期的なものであればあるほど、参照できる先行事例は減っていきます。先行事例がないということは、情報が存在しないということです。情報が存在しなければ、デジタルの優位性はなくなります。つまりこの段階からは、デジタルの「補助輪」がない状態で進んでいかなければなりません。

まさにこうした状況で必要になるのが、ものづくりのプロによるすり合わせです。**現**

在の大企業がかつて町工場に助けを求めたように、日本の未来を担うベンチャー企業も、ものづくりのパートナーを求めています。

日本能率協会の調査（『日本企業の経営課題２０２２』）によれば、現状でのベンチャー企業と中小企業の連携の実態は、「協業・支援・交流を行っている」の合計が2割にすぎず、6割は「検討すらしていない」という状況です。一方、大企業においては「協業している」が4割、支援・交流を含めると6割に上ります。

私は、日本の製造業が中長期的な戦略としてベンチャー企業を支援し、現在のような「お互いの間に壁がある」状況を打破すべきだと考えています。かつてトヨタやホンダやソニーの世界進出を後押ししたように、中小企業や町工場は自らのすり合わせの技術を活かして未来の大企業を支え、育てていくべきなのです。特にフットワークが軽い町工場は、アーリーステージのベンチャーにとって最適なパートナーになるはずです。

実はリバネスでは、10年前の２０１３年から、浜野製作所とともにベンチャー企業向けのプロトタイピング支援を行っています。浜野製作所は墨田区の協力を得て、自社の一部をベンチャーインキュベーション施設へと改修。「ガレージスミダ」と名付けられたこの施設を活用して、当時はまだ無名だった次世代型電動車椅子のＷＨＩＬＬや、分身ロボットのオリィ研究所の試作を支援しました。

また、「風力発電にイノベーションを起こし、全人類に安心安全なエネルギーを供給する」というビジョンを掲げるチャレナジーの支援をずっと続けてきたのも浜野製作所です。チャレナジーの代表取締役ＣＥＯである清水敦史さんは、２０１４年の第一回テックプランターで最優秀賞を受賞していますが、当時はまだ個人としての活動で、開発のための十分な資金もありませんでした。

そんな彼のために、浜野製作所はガレージスミダを本拠地として提供し、ものづくりをゼロから支援しました。資金調達のための試作機の開発から、資金調達後のより本格的な開発まで、浜野製作所は全てのプロセスにおいてチャレナジーのものづくりに寄り添い、下請けとしてではなく、パートナーとして課題を解決し続けました。

その結果、チャレナジーは２０１８年８月に沖縄県石垣島で10kW機の実証実験を開始。２０２０年度にはフィリピンの国営企業と合弁会社を設立し、２０２１年８月にはフィリピンで10kW機の稼働開始を果たしています。

浜野製作所とチャレナジーは、町工場とベンチャーが真のパートナーになれること、そして町工場が知識ベースの価値創造ができることを、何よりも雄弁に証明してみせたのです。浜野製作所から始まったこの「ベンチャー企業を町工場が支援する」

というスキームは、現在は東京・大阪・栃木の3エリアで6施設を運営する「スーパーファクトリーグループ」として拡大中です。

なお、浜野製作所とチャレナジーの取り組みについては、前述した浜野さんの著書に詳しい経緯が記されていますが、私の2017年の著書『ミライを変えるモノづくりベンチャーのはじめ方』（実務教育出版）でも、「ロードマップに沿って技術を見せる」という項目の中で、ベンチャー寄りの視点で取り上げています。両方を比較することで、この連携の姿がより立体的に見えてくるはずです。

これからの時代の製造プラットフォーム

さて、町工場とベンチャー企業との連携による試作支援の最適解が見えてきた一方で、次なる課題として浮かび上がってきたのが「量産化の壁」です。

これに関しては、一般的には試作品と量産品における製造上のギャップを超える難しさにフォーカスが当てられがちです。しかし実際には、町工場（部品加工業者）、大手企業（メーカー）、ベンチャー企業というそれぞれのプレイヤーによって、「量産化」

という言葉から連想する意味が異なる点にこそ、課題の本質があります。

例えば、町工場にとっての量産化とは、複数の均一な「部品」を製造するプロセスを意味します。その部品の納入先である大手企業にとっては、量産化とは複数の均一な「製品」を製造し販売し続けるプロセスを指します。つまり、試作、量産、販売のプロセスを不可逆的に進行させ、量産後は長い期間で利益を生み出すというのが従来の製造業のモデルでした。

これに対して、ベンチャー企業にとっての量産化とは「試作の次のフェーズの製造」を指すことがほとんどで、町工場や大企業と比較するとその意味合いは曖昧です。

まだ成長途上で、事業のスピードや柔軟な変化を重視するベンチャー企業においては、その後いつまで同じ製品を製造し販売し続けるかということが厳密に考慮されていない、もしくは厳密に固定することができない、というのがその理由です。

量産の途中で新たな試作アイデアが生み出されて手戻りが発生することもあれば、そもそもの課題意識の変化によって製品の仕様自体を見直すプロセスが並行する場合もあります。そして何より、製造した製品がどれだけの期間売れ続けるかの保証もありません。

つまり量産化の壁とは、大企業が主導してきた大量生産・大量消費を前提とする従来型の製造業モデルと、ベンチャー企業が取り組んでいる社会の変化を前提とする多品種小ロット生産の新しい製造業モデルとの間で発生するコミュニケーションのギャップによる課題なのです。

町工場にはものづくりの知識があり、ベンチャー企業には新しいアイデアがあります。しかし、アイデアをかたちにした後にどのように社会に広めていくのかという販売の概念を抜きにして、量産の道筋を立てることはできません。そして量産の段階を見据えることなしに、真に適切なものづくり支援は実現できません。**量産の概念がないものづくり支援は、「試作をつくる」という段階の先には進めない**のです。

では、誰がベンチャー企業の量産の部分をカバーできるのでしょうか。ここで登場するのが、町工場とも大企業とも異なる特徴をもつ地域の中核企業です。日本各地に存在する地域中核企業の多くは、特定のニッチな分野でトップクラスのシェアをもつニッチトップメーカーであり、オーナー社長のもとで研究開発から販売までを一貫して自社で展開するという共通した特徴があります。部品加工を得意とする地元の町工場とのネットワークもあり、地域経済の牽引役として位置づけられています。

また、大手企業に比べて意思決定が早く、規模が小さい分、開発・購買・製造・販売

―― 製造プラットフォーム ――

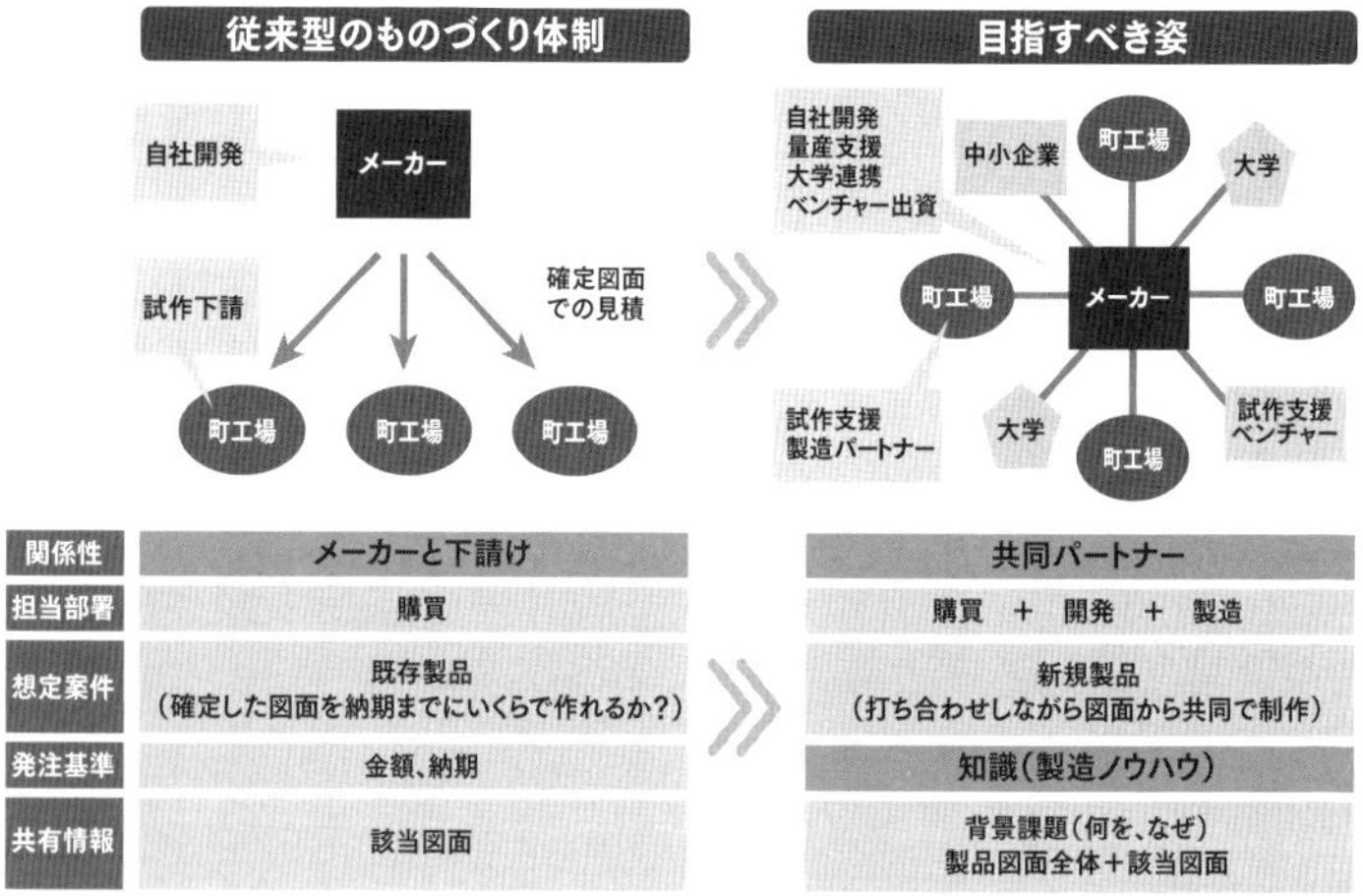

といった部署間の連携が取りやすいという特徴もあります。高い設計力と特化した技術をもつ町工場に加え、量産に向けた質の担保と柔軟な対応力をもつ地域中核製造企業が一体となって動くことができれば、ベンチャー企業の支援はより長期的で充実したものになります。

これを実現したのが、リアルテックファンドを運営するリアルテックホールディングスと、岡山県岡山市のＫＯＢＡＳＨＩ ＨＯＬＤＩＮＧＳが共同で行っている**ベンチャー企業の製造支援プログラム「Manufacturing Booster」**です。ＫＯＢＡＳＨＩ Ｈ

OLDINGSは、耕うん爪で世界トップクラスのシェアを誇る小橋工業の持株会社であり、1910年の創業から常にものづくりに向き合ってきた歴史をもちます。その熟練の製造技術とノウハウを活用することで、単に決まった仕様の製品を量産化に導く支援ではなく、ベンチャーに対して製造面における現状を聞き出し、ベンチャー側が認識していない部分も含めてリスクを洗い出すことで、量産化までの必要な工程、優先順位を可視化する支援を行っています。新時代に向けた製造プラットフォームの構築は、すでに活発に動きはじめているのです。

日本中にベンチャー支援のエコシステムを

こうして整理をしてみると、日本には大きなポテンシャルが残されていることがわかります。どの地域にも中核となるニッチトップメーカーがあり、その周辺には高い技術力をもつ町工場があります。どの地域にも世界初の知識をつくり続けている大学があり、そこで生活する人々は誰もが高いレベルの教育を受けていて、どの町であっても安心安全な生活を送ることができます。

つまり**日本全国どこの地域であっても、研究開発型のベンチャー企業が生まれ、育ち、大きく成長していくための土壌がすでに整っている**のです。これほど充実した環境をもつ国は、世界のどこを探してもありません。日本だけが、この素晴らしさを実現しているのです。こうした地域のアセットをきちんとブリッジして、フルに活用することができれば、日本には必ず明るい未来がひらけてきます。

そのためにどうしても欠かせないのが、地域の金融機関です。かつての日本は、全国の地銀が地元企業の成長を長期にわたって資金面で下支えすることによって「世界一の製造業」を成し遂げました。昨今の金融機関には、そうした機能が弱まっているのではないでしょうか。

とはいえ、金融機関は「信用」で動くものであって、性善説に基づく「信頼」でお金を貸すわけにはいきません。事業計画の蓋然性が心許ないベンチャー企業に融資を行うことが難しいのはその通りです。

そこで、地域の中核企業と共に地銀も参加することができるベンチャー企業支援の枠組みとしてリバネスが始めたのが地域版のテックプランターです。2016年の熊本、滋賀を皮切りに、現在は全国12カ所で実施しています。このプロジェクトの目標は、

10年かけて地域からメガベンチャーを生み出すことにあります。ですから、パートナーとして参画してもらう企業にも「10年間続けること」を条件に声をかけています。

では、どうやって地域から10年間でメガベンチャーを生み出すのか。その方法は、まず最初の5年で50社のベンチャー企業を発掘し、残りの5年でそこから躍進するベンチャーを育てていく、というものです。

50社という数字には、明確な理由があります。経済産業省の調査によれば、2022年10月時点で大学発ベンチャーは3782社存在します。そのうち、現時点で上場しているのは63社です。昨今、大学発ベンチャーの数が急激に増加していることもあり（2021年度からの1年で477社増加）、今後も数字は変動しそうですが、単純計算でいえば大学発ベンチャーが上場する確率はおよそ50〜60社に1社となります。この数字にしたがって、私たちも地域に50社のベンチャーを誕生させようとしています。

この説明に対して、「5社程度の有望なベンチャー企業を発掘して、集中的に資金を投下するかたちではダメなのでしょうか」と質問をもらうことがあります。結論からいえば、それではうまくいきません。なぜなら、「50社が一つの地域に集まっている」ということ自体が重要だからです。

一つの地域に50社のベンチャー企業が集まると、そこにはある種の「ベンチャー村」ができあがります。すると、「なにやら村ができたらしいぞ」ということで周辺地域から人々が訪れるようになります。そうやって、地域企業や大学の研究者とベンチャー企業との交流が始まります。そして村の中でも、ベンチャー企業同士が相互に交流し始めます。つまり、**地域の中で知識と人材の流動性が生まれる**のです。

知識と人材の多様性があれば、その場所では知識と知識を組み合わせる知識製造業が始まります。そして、ここから新しいイノベーションにつながる知識が生まれていくことになります。

ですから地域テックプランターでは、一社のメガベンチャーを地域から出すために、まずは50社のベンチャーを発掘し、育てます。知識は「集合体」もしくは「群」であることが重要だからです。そして地域企業や金融機関にパートナーとして参加してもらい、「みんなで少しずつ積み重ねていく」というかたちにしています。ベンチャー企業だけでなく、その支援をする側も「集合体」になることで、地域全体でベンチャー育成のエコシステムを構築することができるからです。

このエコシステムがあれば、国内だけでなく、グローバルな展開にも応用することが可能となります。かつて日本の製造業が世界中にMade in Japanを届けることで成長してきたように、これからは日本の強みである「すり合わせ」をグローバル化することで新たな成長を遂げるという道がひらけるのです。そして、その最適なパートナーになり得るのが東南アジア諸国連合（ＡＳＥＡＮ）です。ここからは、「すり合わせのグローバル化」の詳細について説明していきたいと思います。

東南アジアが日本のものづくりを求めている

ＡＳＥＡＮは、東南アジアのブルネイ、カンボジア、インドネシア、ラオス、マレーシア、ミャンマー、フィリピン、シンガポール、タイ、ベトナムの10カ国によって構成されています。日本とＡＳＥＡＮの交流は１９７３年からスタートしており、２０２３年はちょうど日・ＡＳＥＡＮ友好協力50周年の節目でもあります。

ＡＳＥＡＮに関する数字を紹介すると、２０２３年の時点で総人口は約６億８千万人。経済の概況としては、新型コロナ以前の数字ですが名目ＧＤＰが約３・３兆米ドル（日本の約67％）、実質ＧＤＰ成長率は２０１５年以降は約５％という高い数字を維持しています。

　つまりＡＳＥＡＮは、一つ一つの国の経済はそれほど大きな規模ではないものの、全体で考えれば一挙に「成長著しい6億8千万人の巨大マーケット」となります。一昔前の東南アジアといえば中国に代わる「世界の工場」というイメージでしたが、２０２０年代後半には「世界のマーケット」としての存在感を発揮し始めると予測されています。中でも成長が著しいインドネシア、タイ、マレーシア、フィリピン、ベトナムの5カ国は、今後の動向に大きな注目が集まっています。

　そんな状況ですから、東南アジア各国にはすでに世界中の資本が参入しています。現地発の企業にも有望株が続々と誕生しており、２０２１年12月末時点で、企業評価額が10億ドル以上の未上場企業、いわゆる「ユニコーン」は東南アジアで25社に達しています。

　国別ではシンガポールが12社で全体の約半数となり、インドネシア6社、ベトナム2社、フィリピン2社、タイ2社、マレーシア1社と続きます。業種別ではフィンテックが9社で最も多く、Ｅコマース4社、サプライチェーン・物流・配送3社、インターネットソフトウエア・サービス3社、人工知能2社と続き、残りはモバイル通信、旅行、消費者・小売、住宅という内訳です。このデータからは、金融とＩＴが東南アジア経済の牽引役となっていることが見てとれます。

一方で、製造業に関してはなかなか目立った動きがありません。その理由はシンプルで、東南アジアには製造業の素地がないからです。指数関数的成長が可能なＩＴとは違い、製造やエンジニアリングは一朝一夕に身につけられる領域ではありません。他国で成功したビジネスモデルを輸入するタイムマシン経営は、サービスやＩＴの領域では可能でも、製造業では不可能です。ものづくりの本質をコピーアンドペーストすることはできないのです。

しかし同時に、**急成長を遂げている新興国にこそ、ものづくりは必要**です。人口が急増し、経済が成長している国では、必然的にものが不足します。また、製造業が未発達であるということは、まさに「物理的」な課題が山積しているということでもあります。

リバネスでは２０１４年にテックプランターを日本とシンガポールでスタートさせ、翌２０１５年には他のアジア地域にも展開。２０１８年からはインドネシア、マレーシア、フィリピン、シンガポール、タイ、ベトナムというＡＳＥＡＮの主要６カ国で継続的に開催しています。

この場に参加してくるのは、実に多種多様な課題解決を掲げるベンチャーです。私も毎回参加しているのですが、常に感じるのは「この国にはこんな課題が存在するのか」という新鮮な驚きです。地域が異なり、文化が異なり、国としての成長の時間軸が異なることによって、現在の日本とは全く異なる世界観と課題が存在しています。そして、その解決を志す彼らには、「おそらく昭和の日本人もこうだったのだろう」と思わせる並々ならぬ熱意があります。


そんなASEANのベンチャー企業が、最も切実に欲しているのが製造に関する支援です。テックプランターでは出場チームへの支援として、資金調達や日本の大手企業との関係構築支援も行なっています。もちろんそのニーズもありますが、その比にならないくらいに、とにかく彼らはものづくりの支援を求めています。「日本といえばものづくり」「日本なら何とかしてくれるはずだ」という期待感が非常に大きいわけです。

日本のものづくりに対する期待値が高いのは、やはり「すり合わせ」ができるからという点につきます。つくる側の思いに共感し、その意図を汲み、なおかつ想定以上の解決策を提示してくれる。古今東西を問わず、ベンチャー企業にはそんなパートナー

等身大のスクリーンを介して2拠点をつなぐ映像システム「tonari」を活用した遠隔ものづくり支援

が不可欠なのです。

実際、リバネスが数年前にシンガポールで現地ベンチャーを対象に「町工場相談会」という企画を行った際には大盛況でした（このときも浜野製作所に協力してもらいました）。その後も、町工場の集積地である大田区が海外ベンチャーの試作開発を担うという連携事業の支援を進めています。また最近では、墨田区でリバネスが運用しているインキュベーション施設「センターオブガレージ」とリバネスシンガポールのオフィス内に導入した空間共有システム「tonari」を活用し、日本の町工場が日本にいながらシンガポールのベンチャー企業と効果的な議論を行い、ものづくりの支援をする「遠隔ものづくり支援」の実証も行っています。

前述したように、ＡＳＥＡＮは６・８億人の人口を抱えながら、現在も急成長を続けています。しかし、社会や市場の成長に製造業の成長が追いつかず、物理的な課題が無数に存在しています。一方の日本は、かつて製造業で世界のトップに立ったものづくりの技術を持ちながら、国内市場の縮小によって衰退の一途をたどっています。両者は、お互いに欠けているピースを補い合って共生することができる稀有な関係にあります。

かつて日本のメーカーが活躍した経緯から、現地の人々の日本に対するイメージは好意的です。島国や海洋国が多いという地理的な共通点から、文化的な親和性もあります。日本人特有のニュートラルな宗教観も、イスラム教、キリスト教、仏教、ヒンズー教などが混在するＡＳＥＡＮにおいてはよい方向に作用します。

このように、ＡＳＥＡＮと日本には「すり合わせ」をキーワードとして、国境を越えたパートナーとして共生できる条件が揃っています。そしてこれが実現すれば、数字の上では**ＡＳＥＡＮの６・８億人と日本の１・２億人を足した「８億人の巨大市場」**が生まれることになります。しかも、今後日本の人口は減少していきますが、ＡＳＥＡＮはこれからも増加を続けます。つまりＡＳＥＡＮ＋日本という枠組みでとらえれば、**世界の総人口の10％を占める「人口増加国」**として戦略を立てていくことも可能なのです。

では、この両者の接続を、具体的にどのようなプロセスで進めていけばよいのでしょうか。そのアイデアとなるのが、名付けて「**インバウンドグローバライゼーション**」です。

製造業の「インバウンドグローバライゼーション」

インバウンドグローバライゼーションとは、製造業のビジネスにインバウンドの概念を組み込んだアイデアです。リバネスが初めてこの言葉を使った2016年9月8日のプレスリリースでは、次のように説明しています。

今後、アジア圏のスタートアップも日本に呼び、墨田区等に日本法人を設立することで、浜野製作所を中心とした日本の町工場による開発支援と、リバネスによる経営支援・事業化支援を経て、アジア・欧米マーケットへの進出を果たし、日本でIPOを狙う「インバウンドグローバライゼーション」のモデル

を展開していきます。これにより、日本の研究者や町工場の活躍の場を創出しながら、日本の強みであるものづくり技術のグローバル化に寄与したいと考えております。

もう少し具体的に説明すると、次のようなプロセスとなります。

①東南アジアでクオリティの高い課題に取り組んでいる研究開発型／ものづくり型のベンチャー企業を発掘する
②彼らを日本に誘致し（＝インバウンド）、町工場や中小企業と試作開発のすり合わせを行う
③同時に、日本の研究者や大企業との連携による知識製造も行う
④必要に応じて、知財の保護や資金調達も日本で行う
⑤開発が完了した製品については、本国で製造を行う（＝グローバライゼーション）
⑥世界に向けて製品を輸出することになった場合は、日本の流通ネットワークを活用する

最大のポイントは、まさに**東南アジアのベンチャー企業を日本に「インバウンド」させる**ことです。

その第一の目的は、すり合わせの効果を最大化することにあります。ものづくりの試作開発に関していえば、やはり現場で膝を突き合わせて、実際に手を動かしながら行うスタイルに勝るものはありません。

また、日本の町工場には独自のネットワークがあります。一括りに町工場といっても、それぞれの会社に固有の得意分野や得意な加工があり、「そういう目的だったら、うちよりも得意なところがあるから紹介するよ」という町工場間のコミュニケーションが日常的に行われています。こうしたネットワークを活用できることも、実際に日本に来るからこそ得られるメリットです。

インバウンドの第二の目的は、日本の企業や研究者と接点を持つことにあります。現実的な話として、現時点で東南アジアと日本のテクノロジーのレベルを比較すれば、日本がはるかに上をいきます。ただし、「だから東南アジアは日本のテクノロジーを学ぶべき」という話ではありません。そうではなく、テクノロジーのレベルが違うからこそ、両者の組み合わせには意味があり、大きな効果を発揮するのです。

高性能であることが常に正しいのであれば、日本のメーカーはとっくに新興国の市場を独占しているはずです。実際にはそうなっていないのは、高性能であることと、実際に社会で広まることとは、別の問題だからです。

ある課題に対してどのような解決策を講じるかという「イシューの設定」は、テクノロジーのレベルに大きな影響を受けます。その人がどのようなテクノロジーに通じているかによって、課題を分析する際の視点が変わってくるからです。本当に深いレベルで課題を解決するためには、視点は多面的であるに越したことはありません。

また、海外の課題解決を相談されることは、日本側にとっても大きな意味があります。自らの知識を請われることは研究者にとって喜びですし、それを実践的な場で活用できる機会には誰もがワクワクするものです。

より現実的な側面としては、特に大企業に顕著なのですが、日本では「取得はしたが、実際には使われずに埋もれている特許」が無数に存在します。これを適切な秘密保持契約を結んだ上でASEANのベンチャー企業に開示し、課題解決に活用できたとしたらどうでしょうか。新規の研究開発費用をかけることなく海外での事業展開のきっかけを手にすることができ、そのまま収益化できる可能性も大いにあります。

そもそもの話として、海外での事業展開の難しさは、現地ニーズの把握が困難であることにあります。しかしインバウンドグローバライゼーションの枠組みであれば、ニーズは「解決すべき課題」として現地のベンチャーが提示するかたちとなり、ビジネスのアレンジも彼らと共に地に足のついた状態で進めることができます。このメリットは日本側にとって計り知れません。

ちなみに、同じ「インバウンド」でも、観光におけるインバウンドでは、旅行者は数日〜数週間で日本を去ってしまいます。これに対して、ベンチャー企業の「インバウンド」の場合は、数ヶ月〜数年という単位で日本に居住し、研究開発を続けることになります。その企業が、そのまま日本を研究開発拠点とする可能性も大いにあります。

したがって、インバウンドグローバライゼーションが日本全国で広がっていけば、かなりの規模で人口が増加することにもつながると私は見ています。しかも来日したベンチャー企業の活躍は、その地域の産業の活性化にも直結します。製造業の復活のみならず、**地方創生の文脈でも、インバウンドグローバライゼーションは日本に貢献できる**はずです。

日本は世界の製造業のハブになる

さて、インバウンドグローバライゼーションの後半のプロセスは、日本の製造業がこれまで築き上げてきたものを「**これからの時代のものづくりのインフラ**」として活用するというアイデアです。

例えば「④必要に応じて、知財の保護や資金調達も日本で行う」でいえば、知財を保護するための特許出願を日本で行うことの最大のメリットは、国際的な特許出願制度であるPCT国際出願（PCT：Patent Cooperate Treaty）の手続きのスピードが極めて早いことにあります。後者の資金調達を日本で行うメリットは、新興国と比較して日本の市場は規模が大きく、国際的な信頼性も高いという点にあります。

つまりASEANのベンチャー企業が日本でテクノロジーを開発することは、試作開発の段階でのすり合わせによるクオリティの高さやスピードの早さに加えて、その先のプロセスである知財保護や資金調達についても、極めて効果的にものごとを進められるというメリットがあるわけです。

次の「⑤開発が完了した製品については、本国で製造を行う（＝グローバライゼーション）」は、日本の視点から見れば残念なものかもしれませんが、ものづくりの効果を最大化するにはこれがベストな選択です。日本国内で製造を行なった上で東南アジアに輸送するかたちでもよいのですが、前述したように、現在は高度なオートメーション化によって世界中のどこでも製造が可能な時代です。輸送のコストを考えるだけでも、現地で製造可能なものは現地で製造するほうが効率がよいのはいうまでもありません。

また、日本はすでにＡＳＥＡＮに多くの製造工場を持っており、現地の人々を雇用して工場を効果的に運営する方法も熟知しています。製造拠点が日本であれＡＳＥＡＮであれ、これまでに日本の製造業が蓄積してきたノウハウが有効活用されることに変わりはないのです。

最後に、これらの取り組みが全て成功した際の仕上げとなるのが「⑥世界に向けて製品を輸出することになった場合は、日本の流通ネットワークを活用する」というプロセスです。ＡＳＥＡＮにまだ製造業の世界的な企業が存在していないということは、世界にものを売るためのルートがまだ存在していないということでもあります。これを一からつくるには途方もない時間と労力が必要です。

しかし日本には、かつてMade in Japanを世界中に広めた流通ネットワークがあります。日本がハブとなることで、ＡＳＥＡＮ発の製品を世界中に届けることができるわけです。

それは単に物流の協力をする、というだけの話ではありません。例えばＡＳＥＡＮのベンチャー企業が画期的な技術を開発したとしましょう。それを自分たちで売るのも一つの方法ですが、日本企業との共同開発のかたちにすれば、最初から世界規模の販売網に組み込むことが可能となります。

日本の製造業が自らの製品を世界中に届けるために築き上げてきたインフラは、新興国とは比較にならないほどの規模とスピードで、ものづくりのサイクルを回すことができます。**インバウンドグローバライゼーションとは、この「ものづくりハイウェイ」をグローバルな規模で共有するシステム**だと表現することもできます。経済のグローバル化を共生型に組み替えたものが、インバウンドグローバライゼーションなのです。

ただし、インバウンドグローバライゼーションは、個別の企業が自社の戦略として採用するだけでは限界があります。日本の製造業が一致団結して「世界のものづくりのハブになる」という意識を共有してこそ、本来の効果を発揮することができると私は考えています。

有望なベンチャーの発掘。試作開発のすり合わせ。国を超えたイシューの組み合わせによる知識製造。知財の保護。資金調達。世界規模の物流……。製造業に必要なあらゆる要素が、日本に行けば全て揃う。そういったイメージを日本が国として世界に発信できてはじめて、インバウンドグローバライゼーションはスタート地点に立つことができます。それは同時に、日本の製造業が再び世界のトップに立つためのスタート地点でもあるはずです。

第七章

組織の「個」をとがらせ、永続をつくる

事業承継とは何をつなぐことなのか

日次、週次、月次。上場企業なら四半期、会計的には年次など、企業が自社の状態を確認するスパンにはさまざまなタイミングがあります。いま挙げたのはどちらかといえば短期的なものですが、中期的な視点に立つ場合は3年が一般的な区切りとなるでしょう。

リバネスの場合は、この3年を一つの単位として、これを4回繰り返した12年を会社としての起・承・転・結を考える時間軸として設定しています。3年ごとに会社のフェーズを前進させ、12年で一つのストーリーをつくりあげる、という捉え方です。

この12年をまた一つの区切りとして、起・承・転・結を重ねた48年までが、創業メンバーが中心になってつくる「一世代」です。これを子の世代、そして孫世代と3世代つなげることができたなら、そこでようやくリバネスという会社の概念が永続的な軌道に乗ったといえるのではないか。私たちはそう考えています。つまりリバネスにとっては、「144年続くベンチャーをつくること」が一つの大きな目標になっています。リバネス創業期の物語として2020年に出版した書籍のタイトルも、まさに『144年続くベンチャーをつくる。』（リバネス出版）というものです。

私の愛読書である『ビジョナリー・カンパニー』（ジム・コリンズ／ジェリー・ポラス）にも同様の考え方があります。それが「時を刻むのではなく、時計をつくる」というものです。「時計をつくる」とは、組織が自動的に成長していく仕組みをつくり上げることを指しています。

このメタファーに則って、企業の1年を時計の長針の一目盛だとすれば、長針が一周まわると12年、ということになります。ここでようやく短針が一目盛動いて1時間です。ということは、「企業の時計」がぐるっと一周まわるために必要な年数は、12年×12＝144年。先ほどの親から子へ、子から孫へ、という3世代をつないでいくための144年と、全く同じ数字なのです。

「起承転結」と「時計」のどちらのストーリーで語るにしても、リバネスでは144年という数字がとても大切なものになっています。

さて、144年という長い時間軸で会社のあり方を考えた場合、避けて通れないのがまさに「次世代にどうつないでいくか」を具体的に実行する事業承継です。

おそらくいまは、日本全国の中小企業が「事業承継をどうするか」ということに頭を悩ませているタイミングだと思います。戦後から高度経済成長期にかけて設立された会社が、ちょうど世代が切り替わる転換点を迎えているからです。

ここで必ずおさえておかなければならないのが、「事業承継とは何をつなぐことなのか」という本質です。結論からいえば、事業承継においてまず考えるべきことは**「事業をどう承継するか」ではなく、「承継するべき価値とは何か」**なのです。

一昔前であれば、シンプルに「家業を継ぐ」ということでも問題はありませんでした。時代背景として、日本は右肩上がりの経済成長が続いていたからです。先代が築き上げたものをそのまま承継すれば、会社は軌道を外れることなく成長を続けることができました。

しかし、本書を通じてずっと繰り返してきたことですが、いまは変化の時代です。会社のあり方を変革しなければ、未来がありません。では、このタイミングで先代から引き継ぐべきことは何で、変えるべきことは何なのか。その本質を突き詰めることなしに、前に進むことはできません。

同じことは、事業承継の有無に関係なく、「会社のあり方を変えたい」と考えている全ての企業にも共通します。いまの会社で続けていくべきことは何で、変えるべきことは何なのか。その意味では、会社を変えるということは、改めて自社の本質を突き詰めるということにほかなりません。そして、ここで決定的な働きをすることになるのが「言葉」です。

言葉は人間が発明した最も偉大な道具

何度目かの繰り返しにはなりますが、ここで改めて、リバネスの紹介をさせてください。株式会社リバネスは、２００２年に15名の理工系大学院生が設立した会社です。研究者の卵だった15人は「いつまでも研究者であり続けたい」という決意と共に、「世の中に必要なアウトプットを生み出し続ける、世界一面白い研究所をつくる」ことを夢に描いて、その歩みをスタートさせました。

そんなリバネスが創業時から掲げているのが「**科学技術の発展と地球貢献を実現する**」という壮大なビジョンです。「科学技術の発展」はともかく、「地球貢献を実現する」は学生ベンチャーが掲げるものとしてはいささか大袈裟に感じられるかもしれません。

しかし、そこには明確な理由がありました。

それは、「全ての研究者が同意できるビジョンにしたい」という思いです。当時、私が周囲の研究者仲間に将来の目標を聞いてみたところ、環境系の研究者は「環境問題を解決したい」と答えました。医学系の研究者は「がんを撲滅したい」と答えました。「ウイルスが人間に感染する仕組みを解き明かしたい」という研究者もいましたし、「空飛ぶ車を実現するための新しいバッテリーを開発したい」という研究者もいました。

果たして、科学技術の発展は、何のために必要なのでしょうか。特定の領域にだけ当てはまるのではなく、全ての研究者が満場一致で賛成できるゴールは存在するのでしょうか。それを一言で表現できる言葉を考えに考え、たどり着いた答えが「地球貢献」という新しい概念でした。

当時の私たちの思いが、単に「世の中の役に立ちたい」というものだったのであれば、地球貢献ではなく、より一般的な社会貢献という言葉を採用していたかもしれません。しかし、サイエンスを学んでいた私たちにとっては、「社会に貢献するだけではダメだ」という思いがありました。人間のためだけではなく地球にとってもよいこと、つまり地球のあり方と調和することでなければ、結局のところ持続性がないという確信があったのです。

その考え方が組織にとって正しいかどうかは、正直なところ、考えていませんでした。そういう観点でものごとを考えられるほどの経験も知識も、当時の私たちにはありませんでした。

しかし結果的に、このビジョンによってリバネスは何度救われたことでしょうか。判断に迷ったときには、常にこのビジョンに立ち返ることで、自分たちが向かうべき方向を確かめながら歩みを進めることができました。

何より、リバネスの全ての社員が、それぞれの考えで「科学技術の発展と地球貢献を実現する」というビジョンを解釈し、一人一人がそれぞれに取り組むべきミッションを考えてくれました。

これははっきりと断言できますが、「科学技術の発展と地球貢献を実現する」というビジョンなしに、リバネスが20年もの長い時間を乗り越えることはできませんでした。

いまになって振り返れば、このビジョンは20年前の若者たちが思い描いた「夢」でしかなかったとわかります。しかし、夢を実現するためには、まずは夢を見るところから始めなければなりません。

つくづく思うのですが、言葉にはふしぎな力があります。ある人間が思い描いた夢を言葉にすることで、その言葉を通じて他の人間とも同じ夢を共有することができるのです。

言葉が道具だとすれば、これは人間が発明した最も偉大な道具でしょう。言葉によって、人は喜び、怒り、哀しみ、楽しむことができます。人は言葉によって死ぬこともあれば、言葉によって生きることもできます。

人が言葉を使う行為には、「話す」と「書く」の二種類があります。話すという行為は、事象としては「音を発している」にすぎません。しかし実際には、そこにはその人だけの表現があります。話の内容はもちろんのこと、話す速度や声のトーン、話をするときの表情、身ぶりや手ぶりを組み合わせることによって、人は言葉に大きな力をのせることができます。

書くという行為も、事象としては「文字を記す」ことにすぎません。「あ」という文字は、誰が書いても「あ」以上の意味はもちません。しかし、文字が連なった文章になった途端に、やはりそこにはその人だけの表現が宿ります。文章のトーンや要素の並べ方によって無限の表現が可能になるだけでなく、その文章を発信するタイミングや、文章の届け方によっても、相手に伝わるメッセージは変わります。パソコンのメールと直筆の手紙では、受け取る印象が全く違うものになるのはそのためです。

言葉には力があります。そして、言葉を話すときにも、また言葉を書くときにも、「**この言葉は相手にどう伝わるのか**」を深く考えることによって、言葉の力はどこまでも大きくすることができるのです。

VISIONとNORMとDESIGN

これからの新しい時代を、自分たちはどのように生き抜き、どのような世界をつくっていくのか。そんな夢をチームの全員で共有するために、企業はそれを表現する新たな言葉をつくり、発信していく必要があります。

企業のトップが組織変革を行う場合、そこには「自社の未来を切り拓くには、この変革が必要なんだ」という明確な意志があります。

しかし、それが社員にとっても「自分ごと」かといえば、決してそうではありません。トップにとっては会社「を」変えるという意識であっても、社員にとっては会社「が」変わる、なのです。変革後の会社に対して、「こんな会社で働きたかったわけではない」

と感じる社員や、「これまでの自分の仕事が否定されているようだ」と感じる社員もいるかもしれません。

もちろんトップは、そうしたマイナス面を認識しながらも、変えていくことを決断します。それがリーダーの役割だからです。しかし同時に、組織を変革するのであれば、社員に「もう一度仲間になってもらう」ことも必要です。それもまた、リーダーの役割であるはずです。

その意味で、組織変革においてはインナーブランディングが不可欠です。ここにトップが心血を注げるかどうかによって、変革の成否が左右されるといっても過言ではありません。

では、インナーブランディングとは何か。それは**会社のVISION、NORM、DESIGNを一気通貫でつくりだす**ことです。

ビジョンとは、会社の理念です。これから会社がどこを目指していくのか。どんな世界をつくっていくのか。まずはこれを言語化しなければ、社員を導くことはできません。

ノームとは、その理念を達成するためにはどのような行動を取るべきか、という規範

インナーブランディングに不可欠な3要素

組織変革において、トップはビジョン・ノーム・デザインの再構築による
インナーブランディングに取り組み、これらの3要素にしっかりと軸を通すことが求められる。

です。どのような行動であれば、理念に近づくことができるのか。逆に、理念に近づくためには、どのような行動を取るべきではないのか。規範がなければ、社員は安心して歩みを進めることができません。

デザインとは、人を動かす仕組みをつくることです。ビジョンやノームに実効性を持たせるもの、と表現することもできます。会社のロゴやウェブサイトをつくることも当然デザインですが、どのような事業部体制を構築するのかということや、どのような会議体を設置するのか、ということも組織におけるデザインに該当します。デザインとは、単なる見た目の話ではなく、組織の本質をかたちづくることなのです。

優れたビジョンが人々の行動規範になったり、人を動かす力になったりするように、ビジョン、ノーム、デザインの3要素は全てが連動し、また少しずつ重なり合っています。逆にいえば、ビジョン、ノーム、デザインに一貫性がなかったり、あるいはどれかが欠けていたりするようでは、組織変革に強い推進力は生まれません。明確な方向性がない状態で、「新しい方向に力強く進む」ことはできないからです。

組織変革において、トップにはビジョン、ノーム、デザインの再構築に一気に取り組み、これらの3要素にしっかりと軸を通すことが求められます。その迫力を私に見せてくれたのが、ＫＯＢＡＳＨＩ ＨＯＬＤＩＮＧＳ株式会社の代表取締役社長である小橋正次郎さんでした。

本書でたびたび事例として取り上げている小橋工業を中核とするＫＯＢＡＳＨＩ ＨＯＬＤＩＮＧＳは、岡山県岡山市に本社を置く１９１０年創業の老舗企業で、農業機械製造を主力事業としています。２０１６年に同社の四代目に就任した小橋正次郎さんは、２０１９年に経営理念を再定義しました。従来の理念である「農家の手作業を機械に置き換える」から、「地球を耕す」という新たな理念を掲げたのです。

従来の「農家の手作業を機械に置き換える」は、長年にわたってＫＯＢＡＳＨＩ ＨＯＬＤＩＮＧＳが成長する推進力になっていました。しかし、これが新時代に向かう言葉になり得るだろうかと考えた場合には、疑問符がついたといいます。そこに「いまの延長線上のKOBASHI」のイメージはあっても、「新しい進化を遂げていくKOBASHI」のイメージはないからです。

そこで小橋さんが行ったのは、自社の歴史や従来の理念に敬意を払い、そこに込められた全ての思いを引き継ぎながら、新しい言葉で再定義するということでした。先人は「農家の手作業を機械に置き換える」ことで「地球を耕し」た。これからのKOBASHIは、環境問題の解決にも取り組みながら、人類、そして地球への貢献として「地球を耕し」ていく。そんなふうに、**先人の思いを否定することなく、同じ思いを未来志向の言葉につくり替えた**わけです。

小橋さんはこの新たな理念をつくるにあたって、「自分の選択で今後30年の会社の業績が決まる」という覚悟でのぞんだといいます。一族の未来を背負って、命をかけて言葉をつくりだすという迫力がそこにはあります。

CASE 3

100年企業であるKOBASHI HOLDINGSの事業承継

組織変革の実態については、当事者の声を聞くのがいちばんです。そこで章の途中ではありますが、KOBASHI HOLDINGSの代表取締役社長・小橋正次郎さんと、リバネスの代表取締役社長COO・髙橋修一郎の対談を紹介させてください。この対談が実施されたのは、KOBASHI HOLDINGSがまさに理念を再定義した2019年のことです。なぜ新たな理念をつくったのか。その背景にはどのような考えがあったのか。そして、どのような未来を目指すために新しい言葉が必要だったのか。小橋さんの強い思いがストレートに伝わってくる内容です。

小橋工業「時空継代」論

出典：創業応援vol.14（2019年6月）

家業を活かす「ベンチャー型事業継承」

リバネス・髙橋修一郎　小橋工業は100年以上続く老舗の農業機械メーカーとして長年にわたって農家を支えていらっしゃいます。2018年からリバネスと一緒に様々なプロジェクトを新たに開始してきました。実は以前から、スタートアップ企業との共創に取り組んでいますよね。株式会社ユーグレナとあぜ型に固めた土製の微細藻類培養プールを開発し、世界で初めて培養に成功しています。このような新しい分野への挑戦を始めたきっかけは何だったのでしょうか。

KOBASHI HOLDINGS・小橋正次郎　ユーグレナとの出会いは2011年でした。社内で新しい事業を開発しようとの話から、いろいろとアンテナを張り巡らしていたところ、「藻類がバイオジェット燃料になる可能性がある」「日本の耕作放棄地が年々増加している」という記事を見たのがきっかけです。

髙橋　当時は、耕作放棄地にソーラーパネルを置くことで土地を利活用することが流行っていました。

小橋　はい。でも私たちはもっと新しいことに挑戦してみたかった。アイデアはあっても実証されていなかったのが、田んぼで藻類を培養することでした。藻類はバイオジェット燃料になる可能性がある一方、培養には大きな面積が必要です。それならば、増加する耕作放棄地を活用すればいいと考えました。そこで、たくさんの大学や企業を回って藻類の研究者を探しはじめました。

髙橋　でも当時は、社内にそのように新しいことを始める風土は……。

小橋　なかったですね。ない以上は、自分がやらなければならないと。その後、藻類の培養にはたくさんの研究者やプレーヤーがいることがわかったので、実際に会いに行きました。ただ「小橋工業の水田あぜ塗り技術を応用して、耕作放棄地で藻類の培養を実現したい」という話に賛同はしていただけるものの、実際の協力にまで話が進むことはなかったですね。

髙橋　一般企業がゼロからアカデミアとネットワークを作るのはハードルが高いですよね。

小橋　はい。そんな中で唯一、一緒にやろうと言ってくれたのがユーグレナだったのです。

髙橋　当時のユーグレナは上場前で、健康食品として微細藻類であるユーグレナを打ち出していた頃。ユーグレナからバイオジェット燃料をつくるエネルギー事業はまだ構想段階だった頃ですね。

小橋　はい。ユーグレナの出雲社長にバイオジェット燃料の提案に行きました。ミドリムシを培養する場所が必要なら、耕作放棄地があります。我々の技術があれば、田んぼをプールにすることは可能です。田んぼからバイオ燃料を生む新しい循環を生み出したいのです。そう私の構想を話したところ「ぜひやりましょう」と言ってくれたのです。

髙橋　それで、社内に持ち帰って、ついに連携先を見つけたぞ！と。

小橋　いえ、まず自社で技術開発の設計を始めました。田んぼに張った水が抜けないようにするにはどのように土を固めたらいいのかなど、培養に必要な条

小橋正次郎（こばし・しょうじろう）
1982年岡山県生まれ。早稲田大学大学院経営管理研究科修了。2008年小橋工業株式会社入社。2016年同社代表取締役社長に就任。1910年創業以来、農業機械メーカーとして、農業分野の課題解決のため、農業の機械化を推進。2017年KOBASHIグループ再編によりKOBASHI HOLDINGS株式会社を設立し、同社代表取締役社長に就任。「地球を耕す」を理念に掲げ、100年以上にわたって培ってきた知識や技術を応用し、地球規模の課題を解決に取り組む。 2020年KOBASHI ROBOTICS株式会社を設立し、リアルテックベンチャーのものづくり各工程を包括的に支援する「Manufacturing Booster」を開始。リアルテックベンチャーの革新的技術の一日でも早い社会実装を目指す。

件を洗い出し、様々な基礎研究を繰り返しました。

髙橋　なるほど。そして2017年に世界初のあぜ型微細藻類培養プールの稼働が始まったのですね。小橋工業は四代続くファミリービジネスですが、小橋さんが社長に就任されたのは2016年。就任の5年も前から、新規事業を立ち上げる準備をされていたわけですが、どういった経緯だったのでしょうか。新規事業の開始と代替わりのタイミングを連動させると継承がうまくいきやすいという話はあるのでしょうか。

髙橋修一郎（たかはし・しゅういちろう）
東京大学大学院新領域創成科学研究科博士課程修了、博士（生命科学）。リバネスの設立メンバー。リバネスの研究所を立ち上げ、研究支援・研究開発事業の基盤を構築した。これまでに「リバネス研究費」や未活用研究アイデアのプラットフォーム「L-RAD」など、独自のビジネスモデルを考案し、産業界・アカデミア・教育界を巻き込んだ事業を数多く主導している。2010年より代表取締役社長COO。

小橋　私たちは縮小する国内市場に軸足を置いていて、既存事業だけでは将来的な成長が見込みにくくなるという危機感がありました。また、農業以外の社会課題にも取り組んでいく必要があると感じていました。最近では「ベンチャー型事業承継」と呼ばれているようですが、別にうまくいくからやっているわけではありません。若手後継者が家業の経営資源を最大限に活用しながら、スタートアップのように新しいビジネスに挑戦することで、永続的な経営を目指す動きが始まっています。既存事業から安定的なキャッシュフローを計上しつつ、事業継承と同時に後継世代が新しい事業にチャレンジし、社会に新たな価値を生み出すしくみと期待されています。

理念の再定義で、新たな挑戦の旗を揚げる

髙橋　小橋さんのような行動力がある方が、スタートアップのスピード感でぐいぐい新しいことを始めると、社内で混乱があったりしないのでしょうか。

小橋　そこは慎重に進めました。社長が変わり、方針を変えることで会社を混

乱させるわけにはいきませんから。

髙橋　急に速度を上げて、既存事業を壊すわけにはいかない。

小橋　もちろん。100年以上続けてきた事業です。一族の価値観を継承していくことはとても重要なことです。正しく行えば、新規事業に取り組むことで既存事業が壊れることはないはずです。2年以上かけて既存事業を展開しながら、新規事業の必要性や思いを理解し、共有し合えるような組織を作っていきました。

髙橋　社長就任から2年を経て、会社の理念を「地球を耕す」に刷新されました。

小橋　これまでは先代の理念「農家の手作業を機械に置き換える」を掲げていました。現在は理念を新しくしましたが、これは方向性を変えたわけではなく「再定義」をしたと捉えています。我々がこれから目指していく姿は、農家の手作業を機械に置き換えるだけでなく、もっと広い視野で社会課題を解決していく姿です。今までの理念の上位概念として、「地球を耕す」という言葉にたどり着きました。

髙橋　農地だけでなく耕す対象が地球全体に広がった。ここでいう「耕す」にはどんな意味が込められているのでしょうか。

小橋　250万年前に人類が誕生し、つい1万年前まではずっと狩猟と採集の社会でした。そこから「耕す」という農耕革命によって農耕社会へシフトし、食糧をコントロールできるようになりました。耕すということは、地球や人類、社会課題の解決を意味しています。

髙橋　狩猟社会から農耕社会への移行は、人間が「土を耕す」という発明をしたことによります。これが定期的に作物を収穫し、定住することを可能にしました。

小橋　はい。画期的な発明です。私は、その後の社会の発展も、人が技術や知識を「耕す」ことによって実現できたと考えています。だからこそ「地球を耕す」には、土をひっくり返すという意味だけでなく、無限の可能性を掘り起こし、イノベーションを創出していくという意味を込めています。その対象は大地だけではありません。大空を耕す、大海を耕す、と概念を広げていくことによって、地球規模の課題を解決する革新を起こしていきたいと思っています。

髙橋　人の生活をより良くするための革命という意味でしょうか。

小橋　人の生活をより豊かにするため、そしてひいては地球が豊かであり続けるため、ですね。自分が生まれてきた時より素晴らしい地球にして、次世代に残していくことが、いま必要なことではないでしょうか。

理念が解釈され、組織が動き出す

髙橋　農業機械メーカーである小橋工業の強みを活かせる視点で未来を考えると、今後、農業の定義自体も変わってくると思うのです。私自身、植物の研究をしてきた身ですが、近い将来には「細胞農業」も農業の一部に入ってくるかもしません。

小橋　そうですね。細胞もそうですが、現代の農業の補完として、植物工場には関心があります。収穫を予測、もしくはコントロールできるようになれば、農業のあり方は大きく変わる可能性があります。

髙橋　藻類の培養も当時は十分飛び地だといわれていたと思います。やってみようと思える適度な飛び地はどのように目利きされているのでしょうか。

小橋　目利きはできません（笑）。目利きよりも、世の中に必要とされているか、また地球の課題を解決できるかどうか。その2点です。ユーグレナとの藻類培養は新しい分野でしたが、田んぼの用途転用なので、既存の農業機械が使えます。「農業×ものづくり」で培ってきた技術の応用で、どこまで社会課題の解決ができるか。その領域では誰にも負けない努力をしています。

髙橋　その2つが重なれば理想的ですね。小橋さんは時間をかけて社内の意識や考え方を少しずつ変えながら、その2つが両立する場所を広げているのでしょう。まさに「組織を耕す」ですね。

小橋 ありがとうございます。「地球を耕す」という言葉を掲げてから、社内も少しずつ変わってきました。広義な言葉だからこそ、社員が「地球を耕す」とは何かを各々で考えるようになったと感じます。これはとても嬉しいことです。私は、社員各々の理念の受け止め方があっていいと思います。解釈を共有し合うことで、理念が深まり、組織に浸透していくのではないでしょうか。

髙橋 リバネスと一緒にやっているプロジェクトでも、メンバーから新しいアイデアが発案されていますね。

小橋 メンバーから提案されたものに対して、やってみようと伝えれば、メンバー自ら現場を飛び回るようになり、その現場で出会った外部の人の知と化学反応を起こします。それによって現在様々なプロジェクトが走り出しています。

高橋　いいですね。それを見ている社内の人が触発されて自分もやってみようと思う好循環が生まれる。

小橋　はい。いま始まったばかりのイノベーションの芽を、将来的に実体の伴った成果へつなげていきたいと思っています。

高橋　どれくらいの時間軸で、どのくらいのリターンを出そうという設定はされているのでしょうか。

小橋　リターンを中心に考えると、どの事業もできないですね。そうではなく、世の中に必要とされるか、地球をよくするのかどうか。必要とされる正しいことをしていれば、収益は後からついてきます。短期的な視点ではなく、中長期の視点に立って判断しています。そこがファミリービジネスの最も強いところでもあります。

高橋　なるほど。そこが大企業と違うところですね。

故きを温ねて新しきに挑む

小橋　事業をつくる上で、時間軸の捉え方が一世代単位になっていることが、ファミリービジネス本来の強さであり、ベンチャー型事業承継の醍醐味だと思います。特に低成長市場ながら高いシェアを誇る地方のファミリービジネスこそが、既存事業のリソースを活かして新しい事業を創出すべきだと考えています。

髙橋　それが広まるためには、どのあたりに問題があると考えますか。

小橋　地方の老舗企業は大きなシェアを持っていて安定的なキャッシュインが見込めますが、新規事業など既存事業以外の領域に手を広げることはリスクだと認識する傾向にあります。ファミリービジネス特有の事情で、どうしても保守的にならざるを得ない。保守的な経営をするほうが永続する可能性が高く、そのほうが社会のためになるのではないかという考え方です。もちろん私にもその選択肢はありました。

髙橋　でも、それを選ばなかった。

小橋　はい。恐らく保守的な経営でも会社は存続するでしょう。成長の見込めない会社を子どもに継がせるべきか。それとも、リスクを取って新しい挑戦をするべきなのか。本当に考え抜きました。

髙橋　挑戦を選んだきっかけはどこにあったのでしょうか。

小橋　ユーグレナの出雲社長をはじめ、多くのアントレプレナーとの出会いは、大きな影響がありましたね。彼らはゼロから世界を変える挑戦をしているのにもかかわらず、自分は保守的になっていいのか、と。大きなビジョンと情熱を持って挑戦をしている姿から、自分も新しい価値を生み出したい、成長事業をつくりたいと思うようになりました。結局のところ私も世界を変えるような挑戦がしたかったんだ、こういうことがやりたかったんだ、と気づかされました。

髙橋　変化が激しい今だからこそ、小橋さんの世代は挑戦が必要なのでしょうか。

小橋　どちらが正しいとかではないですよね。これは小橋工業のＤＮＡだと思いますよ。初代は創業者ですし、二代目は積極的な投資を続けました。三代目もとても挑戦的な人でした。結局私はそのＤＮＡを引き継いでビジネスをしている。これもファミリービジネスの面白いところです。

髙橋　挑戦するという価値観自体も継承していくということでしょうか。

小橋　はい。歴代経営者は、先代の功績を礎としながら、さらなる発展を遂げようと尽力してきました。それは終わりなき挑戦の連続です。それぞれの時代においてそれぞれの壁を乗り越え、時代における個人の役割を果たしながら、農業の未来を切り拓いてきました。

髙橋　それぞれに物語があるのですね。

小橋　先代には先代のやるべきことがあり、私には私のやるべきことがある。同じことをするなら、私が事業継承する必要はありません。

髙橋　同じことするなら、先代のほうが経験値もありますしね。そうやって、小橋工業のＤＮＡが継がれていくわけですね。

小橋　大切なのは過去三代がどういう経営をして、どういう意思決定をし、何を行ったのか。その上で、私が何を考え、意思決定をし、その価値観と教訓を忘れることなく、経営をしていくのか。そういうことなのだろうと思います。

「歴史×技術革新」が未来を創る

髙橋　大手の上場企業では、四半期ごとに成果を求めることもあり視点が短期的になってしまいます。一方でファミリービジネス企業は一世代30年スパンで事業を仕掛けることができる。そう考えると、世界を変えるような技術をもったスタートアップが成果を社会実装するまでの時間軸と、ファミリービジネスって実はすごくマッチしますね。

小橋　まさにそれが、私が今日一番言いたかったことです。私は、小学生の頃から「自分が社長になったら30年間かけてどんなことをやろうか」とずっと考えてきました。ファミリービジネスこそ、中長期の視点が必要なスタートアップ企業の伴走者であるべきです。そしてスタートアップ側も、目の前のアセットよりも中長期のコミットのほうを大切にしていくべきだと思います。

髙橋　スタートアップが科学技術を社会実装する過程で、近年は大企業とのコラボレーションが注目されがちですが、実は小橋さんのように一世代かけて挑戦しようとしてる方とコラボレーションすると、同じ時間軸で走れる上に、既存事業で培った経験を持っているから、大きなアドバンテージが見えてきますね。

小橋　そういった雰囲気が高まればいいですよね。人生かけて30年間一緒に走ろうと言えるのがファミリービジネスの強みです。逆に、経営のかなりの部分を自分で判断できる分、その責任は大変重い。一方で、子どもや孫の代、未来永劫続く会社にしなければいけないと思ったとき、自分の能力の限界が会社の能力の限界になってはいけない。だからこそ、未来の世界のことを本気で考えるスタートアップと一緒に、次の世界を創っていくことが大切だと考えています。

髙橋　リバネスでは科学技術の発掘と社会実装のための育成プログラム、テックプランターを日本全国の地域でも展開しています。ファミリービジネス経営者と、科学技術スタートアップが出会い、共に新しいビジネスをつくりながら協業していくエコシステムが地方創生につながっていくのですね。

小橋　小橋工業はまだ１００年の会社ですが、地方には地元の名士といわれる企業がたくさんあります。そこには歴史があり、物語があり、次にどんな時代を創るべきかを考える方がいる。こういう方々が、社会を変えるような科学技術をもったスタートアップと一緒になることで、時空を超えて、過去の歴史と現在の挑戦を未来に繋げていくことができると思います。

髙橋　楽しみですね。これからも一緒に未来を創っていきましょう。

いかがでしょうか。組織変革、そして事業承継に対する小橋さんの熱い思いが、みなさんにもしっかりと伝わったのではないでしょうか。

対談の中にもあったように、小橋さんは経営理念の刷新に加えて、ベンチャー企業との積極的な連携も推し進めています。社内にベンチャー企業のカルチャーを吸収させ、老舗企業のマインドセットを未来志向に変えているのです。また、２０１７年に小橋工業を中核とするＫＯＢＡＳＨＩ　ＨＯＬＤＩＮＧＳを設立し、２０２０年には子会社としてＫＯＢＡＳＨＩ　ＲＯＢＯＴＩＣＳを立ち上げています。第六章で紹介したベンチャー企業の製造支援プログラムであるManufacturing Boosterを担当しているのが同社です。

猛烈なスピード感で一連の取り組みを仕掛けていった小橋さんの手腕は、本当に見事というしかありません。そして、その全ての中心にあったのが、「地球を耕す」という強い言葉でした。

実はこの言葉は、社外に対しても大きな変化を生み出しました。これによって、ベンチャー企業とのコミュニケーションが劇的に改善したのです。なぜそんなことが起きたのか。理由は一つしかありません。KOBASHI HOLDINGSが、自分たちの言葉で「夢」を掲げたからです。

第四章でも触れたように、ベンチャー企業は自らの情熱だけを抱えて突き進むアントレプレナーです。「世界をこう変えたい」「そのために自分たちはこうなりたい」。そんな夢を強く信じているのがベンチャー企業です。一方で、中小企業には目の前の現実があります。まずは売上と利益をあげていかなければ、会社を存続させることができません。その達成のために努力を重ねるのは、当然のことです。

しかし、そのままの状態ではベンチャー企業と中小企業のコミュニケーションはうまくいきません。夢を見ているアントレプレナーと、お金を見ている経営者では、同じ土俵に立って話をすることができないからです。

これに対して、KOBASHI HOLDINGSはトップ自ら「夢」を掲げました。それも、自分たちが世界を変えていくための本当に大きな夢です。すると、ベンチャー企業との目線が合うようになり、同じ夢を見ることができるようになります。「われわれがやろうとしていることは同じですね。ぜひ一緒にやりましょう」というスタートラインに立つことができるわけです。

変化の時代、そして激動の時代だからこそ、チームの全員と同じ未来を共有できる強い言葉をつくる必要があります。そしてチームの範囲を、自社だけにとどめるのではなく、世界中に広げていくためにも、大きな夢を掲げなければなりません。

自分たちの組織を144年続くものにできるかどうか。そして、その144年を現実にするための言葉をつくることができるかどうか。これこそが、組織のトップの仕事です。**自分たちの魂がこもった言葉をつくる**ことが、知識製造業の新時代に足を踏み出す一歩となるのです。

リバネスは生命科学的な組織をつくってきた

ここまで説明してきたように、組織変革には新しい言葉が必要です。また、組織のあり方を変えるためには、新たな取り組みにチャレンジし続ける必要もあります。では、企業活動の全ての土台である「組織そのもの」は、どのような形態であるべきなのでしょうか。

本書の最後のテーマとして考えていきたいのが、「組織づくり」です。ここからは、その具体例としてリバネスの組織について解説をしていきますが、これが正解だというつもりはありません。人の生き方に唯一の正解はないように、組織のあり方にも正解はないからです。

ただ、これから知識製造業へのシフトを考えている企業にとっては、参考になる部分が必ずあると自負しています。というのも、私たちは設立から20年以上にわたって、ずっと知識製造業を続けてきました。リバネスの組織は、知識製造業に最適化したものなのです。

その第一のポイントとなるのが、リバネスは生命科学的な考えにもとづいて組織をつくっている、ということです。私はもともと生命科学の研究者ということもあり、「**企業は生命と同じだ**」という認識があります。企業とは人間が集まった組織である。人間とは生命である。ということは、生命科学的に正しい組織が、最も効果的な組織であるはずだ。そういうロジックです。

生命科学的な組織というと斬新なものに思われるかもしれませんが、少し考えてみれば、「企業の成長」「企業の弱体化」といった生命になぞらえた表現が普通に使われていることに気づくはずです。「企業にはライフステージがある」という表現にも違和感はないでしょう。

また、これからの時代は変化の時代です。企業は常に変化への対応を迫られることになります。環境の変化をいかに生き延びるかという観点からすれば、第一章でマメ科植物と根粒菌の共生システムの事例を取り上げたように、生命のあり方から学べることは多々あります。生命科学的に組織を考えるという手法は、きっとこれからの時代に有用なものになるはずです。

生命は、基本的に**自律・分散・協調型のシステム**で成立しています。特に意識をしなくても、身体の一つ一つの細胞は勝手に動いていますし、それでいて全体としては協調して生命活動を維持しています。

例えば人差し指に切り傷をつくってしまったとしても、少し時間が経てば出血は止まり、そのうち傷口も塞がります。切り傷ができた箇所の「現場判断」によって、適切に止血をして傷口を塞いでいるわけです。この程度の傷を治すために、わざわざ脳からの指令が必要だとしたら、それほど面倒なことはありません。

自律・分散・協調型であるということは、このシステムに序列や命令系統のようなものは存在しない、ということでもあります。例えば目の前に水の入ったコップがあるとして、「水を飲みたい」と判断するのは脳ですが、コップを掴むのは手ですし、水を飲むのは口です。また、脳が「水を飲みたい」と判断したのは身体からの「水分が不足している」というシグナルを受け取ったからです。

このように「コップで水を飲む」という単純な動作においても、脳と手と口と身体がそれぞれに自律的かつ協調して役割を果たすことで、一つの動作を瞬時に達成していることがわかります。

生命組織の特徴としては、**「効率的」ではなく「効果的」**であることも挙げられます。効果的であるからこそ、変化に対して柔軟な対応が可能になるのです。

機械的な組織は、突発的なトレンドの発生や抜本的な変化を乗り越えるには不向きです。効率最優先で、常に直線的なルート設定で最短距離を行くような方法では、想定外の事態に対応することができません。その結果、組織全体がすぐにフリーズしてしまいます。

これに対して、生命のふるまいは基本的にランダムです。細胞などの顕微鏡映像を見たことがある人であれば、「だいたいあっちのほう」という程度の方向感で細胞がモニョモニョと動くイメージが掴めると思います。この動き方は、お世辞にも効率的とはいえません。

ところが、ルートの途中に突然障害物が現れたとしても、細胞はモニョモニョと動きながら、なんとなく障害物を回避して、再びもとの方向に進むことができます。こうした「たくましさ」が生命には備わっているのです。

PDCAはイノベーションとの相性が悪すぎる

現在、ほとんどの企業はピラミッド型の階層構造をもつヒエラルキー組織を採用しています。その特徴は、トップに権限を集中させ、重要な判断を一任することによって、一貫性のある効率的な企業経営と組織運営が可能な点にあります。

したがって、トップの判断をいかに速やかに実行できるか、ということがヒエラルキー組織の最大の目的となります。ここで大きな効果を発揮するのがPDCAサイクルです。ＰＤＣＡサイクルは、アメリカで提唱された品質管理の理論を背景として、高度経済成長期の日本で独自に発展したマネジメント手法です。その出自を知ると納得ですが、既存の産業が成熟へと向かう段階では、ＰＤＣＡサイクルは非常に効果的でした。

Plan・Do・Check・Action というプロセスからも明らかなように、ＰＤＣＡは「計画」を実行するための手法です。前期比○○％増というように、達成するべき内容が明確な場合には打ってつけです。

このＰＤＣＡを、組織の上から下へと、大きな計画から小さな計画へと分解して降ろしていくことで、組織の階層ごとにきれいに役割が分担されていきます。ヒエラルキー組織では、こうして秩序だった集団が形成されていくわけです。

また、ＰＤＣＡサイクルのプロセスにおいては、報告・連絡・相談という「ほう・れん・そう」のコミュニケーションが有効に機能してきました。やるべきことがあらかじめ決まっている状況では、全てのコントロールを上司に置き、部下は上司が判断するために必要な情報を上げるだけというコミュニケーションが効率的だったからです。

ここでは、次のようなことが前提となっています。経験豊富な上司は、あらゆる問題の答えを知っている。したがって、ものごとの判断をするのは常に上司である。個人の行動は常に組織的な判断によって決められ、自律的な行動は許されない――。

このように、PDCAサイクルと報・連・相は、あくまで既存事業を成長させるためのものであって、新たな事業を一からつくるためのものではありません。

まだ誰も見たことがない新しいサービスやプロダクトを、既存のものごとを効率的に進めるためのPDCAでつくろうとする。あるいは、異分野の相手と一緒に新しいプロジェクトに取り組むためのコミュニケーションを、上下関係をはっきりさせる報・連・相でやろうとする。これではうまくいくわけがありません。日本企業がイノベーション創出に苦悩している最大の原因は、慣れ親しんだプロセスとコミュニケーションを捨てられないことにあるのではないか。そう言い切ってしまっても、間違いではないはずです。**PDCAや報・連・相は、イノベーションとの相性があまりに悪い**のです。

そして、長年の常識であるヒエラルキー組織も、現代のような変化が大きな時代とは相性がよくありません。そもそもの話として、ヒエラルキー組織が効果的だったのは「時代が変化しない」ことが前提だったからです。右肩上がりの経済成長の中で、いかにして「より早く」「より広く」「より多く」という市場での競争に勝利するか。この目的を達成するために最適化されたのがヒエラルキー組織です。

かつては、3～5年単位で策定する中期経営計画が有効でした。その間、事業環境が大きく覆ることはないという前提のもとで、どれだけ正しい計画を立てることができるかというのが経営における最優先課題でした。

しかし、時代は完全に変わりました。現在では、3年間も同じ事業環境が続くようなことはありえません。従来の経営感覚では、このスピード感には到底対応することができません。

時代が変わりつつあるということは、生物でいえば生存環境が変わりつつあるということです。環境の変化に対応するためには、生き方を変えるしかありません。つまり、組織のあり方そのものを見直すべきタイミングが来ているのです。

変化の時代に最適な「個のネットワーク組織」

これからの時代は、ビジネスの原理が売上の追求から課題解決へとシフトしていきます。一人一人が研究者的思考をもち、QPMIサイクルを回すことで異分野の仲間を集め、知識と知識を組み合わせることによって一歩ずつ課題解決へと近づいていくことが仕事になります。4D思考によって世界の時間軸を俯瞰しながら、必要に応じてグローバルにも積極的に展開し、そこで出会った異分野の仲間とまた新たな知識をつくりだしていくのが知識製造業の新時代です。

では、こうした時代に適応するために、組織はどう変わっていくべきなのでしょうか。従来のヒエラルキー組織のままでは対応が難しいのは、どのような点でしょうか。大きく分けて、私は次の3つが大きな壁になると考えています。

①課題解決を最優先とするスタンスへの対応。つまり、正解がない課題に対して組織としてどのように取り組むか、という対応

②共生型ビジネスへの対応。つまり、ビジネスが社内だけでは完結せず、複数のパートナーとの共同プロジェクトによってものごとが進んでいくという状況への対応。より具体的には、指揮系統を一本化できない状況でどのようにマネジメントを行うか、ということへの対応

③イノベーションの源泉が個人のQとPになる状況への対応。つまり、「全てを組織が

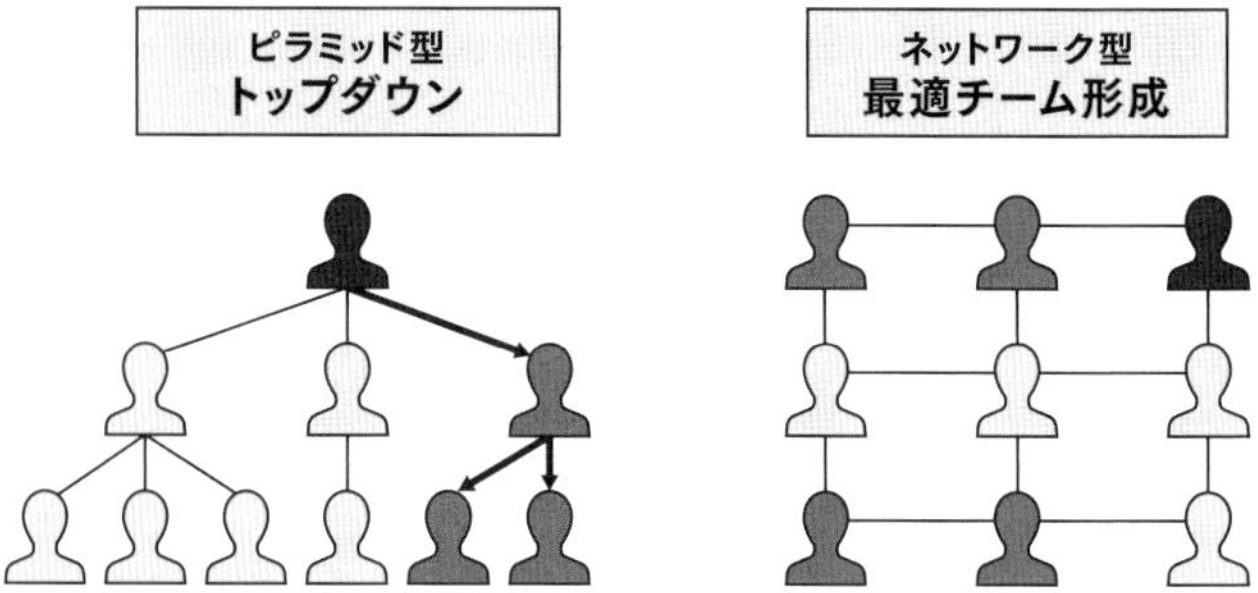

トップダウンによるピラミッド型のヒエラルキー組織（左）と、常に最適なチーム形成を行う個のネットワーク組織（右）

判断する状況」から、その真逆である「個人の自律的な行動が組織の原動力となる状況」への対応

これらを全て乗り越えることができる組織形態としてリバネスが提唱しているのが、**「個のネットワーク組織」**です。これを「個」「ネットワーク」「組織」の3つの要素に分解すると、次のように説明することができます。

最初の「個」は、一人一人の社員が個のQとPにもとづいた「世界をこう変えていきたい」という課題意識を確立させていることを意味します。

次の「ネットワーク」は、個を確立させた一人一人の社員が、組織の指示ではなく、それぞれの意志によって新たなプロジェクトを立ち上げ、その思いに共感した社員とチームを形成することを意味します。
そして最後の「組織」とは、「個のネットワーク」によるプロジェクトを成長させ、また持続可能な状態にするために、組織全体でフォローしていくことを意味します。

つまりリバネスでは、一人一人の社員がＱＰＭＩサイクルを回し、自らがリーダーとなって課題解決プロジェクトを実践しています。自分が取り組むテーマを決定するのは自分、プロジェクトの遂行に最適なメンバーを考えるのも自分、そしてメンバーとなる「個」をネットワークしていくのも自分、というわけです。仕事は、やらされている人ではなく、やりたい人がやる。これが最もシンプルで、最も効果的で、全員が最大限に力を発揮できるスキームです。

しかし、その仕事に他者を巻き込む場合には、その人たちにとっても主体的に取り組めるものでなければなりません。なぜなら、自分たちがやりたいようにやるだけでは、これもまた生命科学的ではないからです。

また、一人一人が個のＱとＰで行動するとはいっても、リバネスにも事業部は存在しています。日本国内では、全ての社員が教育開発、人材開発、研究開発、創業開発、地域開発、製造開発、戦略開発という7つの事業部のどれかに所属しています。プロジェクトは事業部横断的に形成することができますが、当然ながらその際には事業部間で業務のバランスを取る必要があります。では、リバネスはこれをどのように解決しているのでしょうか。

ここで登場するのが、第三章で紹介したブリッジコミュニケーションです。個のネットワーク組織であるリバネスでは、社内においても「共感」と「交渉」のブリッジコミュニケーションを行っています。全ての社員がやりたいことをやる組織で、全員の利害が100％一致するなどということはありえません。であれば、その都度その都度、共感してもらうためのコミュニケーションと、細かな交渉のコミュニケーションを重ねるほかはありません。私たちは、一人一人の力を最大限に発揮することのトレードオフとして、日常的に発生する小さなコンフリクトについては「当たり前」として受け入れているのです。

その意味では、リバネスの社員は全員がマネジメントの視点をもっています。チームを率いるためにはリーダーとしてさまざまな調整のスキルが不可欠ですし、事業部を超えた交渉をするためには予算配分の感覚も求められます。

つまり、**個のQとPにもとづく研究者的思考と、プロジェクトを実行するための経営**

者的思考。個のネットワーク組織をきちんと機能させるためには、全社員がこの両方の思考をもっているか、少なくとも身につけようとする意志をもっていることが重要です。

もちろん、これは非常に高いハードルです。組織の規模が大きくなればなるほど、難しさは増していくでしょう。しかしその分、得られるものも大きいのです。

個のネットワーク組織では一人一人が自律的に判断して行動できるため、変化への対応が極めてスムーズです。そして、一人一人がそれぞれの課題解決に取り組むということは、組織全体として解決できる課題の数が非常に多いということでもあります。

極端にいえば、ヒエラルキー組織では課題解決のテーマを生み出せるのはトップ一人のみです。しかし個のネットワーク組織では、社員の人数分のテーマが生まれることになります。組織の中に蓄積されていく知識の量が、両者で全く違うことになるのは明らかです。また、それだけのテーマ数があれば、うまくいかないプロジェクトを一旦「浮かせておく」ことにも大きな支障はありません。そうやって浮かせておいたプロジェクトが、次の知識製造のための大切なピースになっていくのです。

蓄積・開示・分析・統合の「知識」共有システム

個のネットワーク組織の効果を最大化するために、リバネスでは**蓄積・開示・分析・統合**という「知識」共有の仕組みをつくっています。

ＰＤＣＡサイクルにおける報・連・相は、「上司が答えをもっている」ことが前提でした。しかし、課題解決に答えはありません。むしろ、答えをつくりだすことが課題解決の目的です。

したがって課題解決においては、報・連・相の全てのプロセスが意味をなしません。「何を報告するべきか」「何を連絡するべきか」「何を相談するべきか」ということが誰にもわからないからです。

何が起こるかわからず、何が成功するかがわからない局面では、とにかく一次情報を取りに行き、そこで理解したことを知識として「蓄積」するしかありません。そして報告をするのではなく、チームの全員が理解しやすいかたちで「開示」をしておく。そうやって開示された知識について、チームのみんなで眺めながら「これはこういうことじゃないか」「こういう共通点が背景にあるのではないか」という「分析」を行う。

最後に、分析から生み出された数々の考察を一つの方向性に「統合」していく。

この蓄積、開示、分析、統合というプロセスによって、課題解決を少しずつ進めていくのです。

ここでは、最後に統合のプロセスがあることで、一人一人が個のQとPにしたがって自律的に動いた結果が、組織全体の蓄積へと変換されていきます。一人一人が自由に行動していながら、その全ての行動が組織の成果に集約されていくという極めて効果的な状態です。

仮に同じことをヒエラルキー的にトップの指示で行った場合には、似たような情報しか収集できない凡庸なものになってしまうでしょう。つまり「蓄積・開示・分析・統合」は、組織の多様性を前提とすることで成立する仕組みでもあるのです。

ちなみにリバネスでは、この「蓄積・開示・分析・統合」を行うデジタルプラットフォームとして、営業支援や顧客管理の世界的なビジネスアプリケーションとして知られるSalesforceを活用しています。

本来は営業活動に関する情報共有プラットフォームであるSalesforceを、私たちはいわば「**ナレッジシェアリングプラットフォーム**」として使っているわけです。そういった使い方はセールスフォース社にとっても興味深いようで、同社からはよくユーザーインタビューの依頼があります。リバネスの情報担当役員であるＣＩＯの吉田丈治は、同社がサンフランシスコで毎年開催している世界最大級のテックカンファレンスであるDreamforceに登壇者として招待されたこともあります。

個のネットワーク組織は全ての企業に導入可能

個のネットワーク組織の「個」とは、「個人」のことだけに限定されるわけではありません。確立された「個」をもつ会社同士がネットワークすることによって、組織的な動きをすることも可能だからです。

この場合、会社としての「個」は、できるだけとがったものであることが理想です。凡庸な個性の組み合わせと、強烈な個性の組み合わせでは、どちらがより大きなインパクトを発揮するかは容易に想像がつくはずです。

実はリバネスでは、その観点から、従来は社内の一部門だったものを「分社化する」というケースが増えてきています。

例えば2020年には、社内で労務・経理・総務などの業務を担当していた環境開発部門と、ベンチャー企業への出資を統括していた投資開発部門を、株式会社リバネスキャピタルとして分社化しています。彼らは、ただの「バックオフィス」ではありません。リバネスというベンチャー企業がやりたいことを自由に実現できる環境を整えたり、あるいは適切に背中を教えてくれるような、プロの「伴走者」です。それがリバネスキャピタルの「個」なのです。

また、前述したナレッジシェアリングプラットフォームは、以前は社内の情報開発部門が担当していましたが、2022年にこの部門を株式会社リバネスナレッジとして分社化しました。彼らがプロであることは、改めて説明するまでもないでしょう。

つまり、社内の部門をあえて分社化することで、リバネス、リバネスキャピタル、リバネスナレッジの3社が**それぞれの個をよりピュアにとがらせつつ、ネットワークによる効果を最大化できる体制**を構築しているわけです。

それと同時に、分社化によってリバネスキャピタルとリバネスナレッジは、従来はリ

30社からなるリバネスグループ（国内21社、海外9社）

Leave a Nest / Leave a Nest CAPITAL / Leave a Nest KNOWLEDGE

MANN / NEST EdLAB / NEST RdLAB / Agrinome Lab / Humanome Lab

GLOCALINK / タイガーサウンド / REAL TECH Holdings / mylops / BIO IMPACT

CyDing / Sustainable Food Asia / kakaxi

KOBATA GAUGE / SEIKO SEIMITSU / SANKEI Solution Company / Meister's Grit

海外

Leave a Nest SINGAPORE / Leave a Nest MALAYSIA / Leave a Nest PHILIPPINES / Leave a Nest UNITED KINGDOM / Leave a Nest AMERICA

GLOCALINK Singapore / GALANSIYANG Inc. / MYCRO IMAGINATION TO ACT / ACeT Innovates

バネス社内で開発してきたものを、外の会社に対してもサービスとして提供できるようになります。これがビジネスとして効果的であるのはもちろんです。しかしそれ以上に強調したいのは、このかたちを取ることによって、リバネス社内で閉じていた知識を広く世界に対して開示できるようになるということです。外に開示することができれば、それがまた新たな知識製造へとつながっていきます。

そのほかの分社化の事例としては、以前はリバネスが行っていた教育サービスを切り出したＮＥＳＴ ＥｄＬＡＢや、研究者の知識戦略および知財戦略を担うサービスを切り出したＮＥＳＴ ＲｄＬＡＢのようなケースもあります。また、Ｍ＆Ａのプロセスを通じて、とがった個をもつ外部の会社をリバネスグループに招き入れるケースもあります。

その結果、リバネスは２０２３年６月現在で国内21社・海外９社を含むリバネスグループを形成するに至っています。「**地球上で最も効果的な知識製造業を行う企業群になる**」というミッションを掲げ、個のネットワーク組織として一体となって世界の課題解決に取り組んでいるのです。

さて、リバネスが採用している個のネットワーク組織は、「リバネスだからできることですね」と言われることがよくあります。

確かに、リバネスの組織は一般的な企業組織とは異なる部分が多々あります。学生ベンチャーから始まった点もそうでしょうし、全ての社員が修士号または博士号をもつ研究者であるという点も特殊かもしれません。

しかし、リバネスの個のネットワーク組織は、リバネスの社内だけで完結しているわけではありません。知識製造業を営む会社として、これまでの20年間、数え切れないほど多くのパートナーと個のネットワーク組織を形成し、年間で２００を超えるプロジェクトを常に動かしてきました。

私たちがパートナーを組む相手は、本当に多岐にわたります。大企業、中小企業、ベンチャー企業、町工場、大学、研究機関、小中高の学校現場……。どの相手とも、リバネスは常に「一緒に課題を解決しましょう」というスタンスで取り組んできました。同様に、全てのパートナー企業が、私たちに対して「一緒に課題を解決しましょう」というスタンスでプロジェクトに取り組んでくれました。

これはつまり、**どのような組織であっても、個のネットワーク組織のエッセンスを取り入れることは可能**だということを意味します。従来型のヒエラルキー組織に所属している個人が、組織に所属しながらも独自の個のネットワーク組織をつくってプロジェクトに取り組むことで、従来の延長線上ではない成長を手にすることができるのです。そうしたプロジェクトが社内に増えていくことによって、それぞれの知識が有機的につながり、予想もしなかった化学反応が起こることもあるでしょう。

他社とプロジェクトを始めるのはハードルが高いようであれば、最初の一歩として「地球貢献型リーダーの育成」を掲げた人材育成プロジェクトであるリバネスユニバーシティー※を活用するのも一つの手です。講義とゼミがセットになった3～4ケ月間のカリキュラムによって、本書でこれまで説明してきたコンセプトの理解と、その実践としてのプロジェクトの立ち上げを経験することができます。

受講するコースによってリアル開催とオンライン開催の違いはありますが、いずれも「異業種の人々と共に、本気の学びに飛び込み、実際にプロジェクトを立ち上げる」という点に変わりはありません。知識製造業へのシフトの第一歩として、これ以上のものは世界中どこを探しても存在しません。自信をもっておすすめできるプログラムです。

私たちは、「個のネットワーク組織」という考え方を本気で世界中に広げていきたいと考えています。それこそが世界の課題を最も早く、そして効果的に解決できる方法だからです。リバネスユニバーシティーは、そのきっかけにするべく立ち上げたプロジェクトです。

そして、本書の役割も同じです。この本はリバネスが2002年の設立から20年間かけてつくりだしてきた知識の「蓄積」であり、「開示」です。読者のみなさんが、このリバネスの知識をそれぞれに「分析」し、「統合」することによって、新たな知識をつくりだしていってほしい。それぞれに個のネットワーク組織を構築し、世界の課題解決に挑戦してほしい。私は心からそう願っています。

リバネスが掲げる「科学技術の発展と地球貢献を実現する」というビジョンは、私たちだけでは到底成し遂げることができません。しかし、みなさん一人一人の力によって、知識製造業の概念が世界中に広がり、当たり前のものになっていけば、その実現は一気に近づくことになります。そんな未来をつくるために、これからもリバネスは走り続けます。

※リバネスユニバーシティー https://univ.lne.st/

リバネス人15か条が表現する「個」と「チーム」

最後に、リバネスで創業期から社員の行動規範となっている「リバネス人15か条」を紹介させてください。リバネスは「個」であり、同時に「チーム」であるという感覚がよく表現された文章です。リバネス社内で活用しているものではありますが、どの組織であっても通用するような普遍的なエッセンスがあるはずです。

ちなみにこの15か条は、リバネスの研究部門の一つである「ひとづくり研究センター」

で現在センター長を務める立花智子が実施した「あなたが思うリバネスらしさとはなんですか」という社内アンケートをもとにつくられたものです。私や経営陣が考えたのではなく、一人一人の社員の考えを統合することによってつくられたというプロセス自体も、非常にリバネスらしさを表現しています。

リバネス人15か条

1 すべての行動に理念を持ちましょう。
2 失敗を恐れずに挑戦しましょう。
3 仕事を面白くするのは自分自身です。
4 基本は全部自分の責任です。人のせいにはしない姿勢を持ちましょう。
5 どんな仕事でも自分の成長とチームメンバーの成長を考えましょう。
6 「言われたとおりにやる」は不正解です。自分なりのプラスアルファを探しましょう。
7 あなたがプロジェクトのリーダーでなくても、あなたがリーダーシップをとるべき仕事があります。
8 どんなときもプレゼンテーション。雑談以外はプレゼンをする気持ちで臨みましょう。

9 人によって、また時によって言うことや判断が違います。でも本質は一緒です。

10 面白ければ認められるときが多々あります。アイデアの精度よりは、どのくらいみんなを巻き込めるかが重要です。

11 社会人としての常識は自分自身で責任をもって学びましょう。

12 何度でもチャンスをもらえる会社です。その代わり、できないことはできないと認めましょう。

13 メールを送っただけでは伝えたことにはなりません。大切なことは直接もしくは電話でコミュニケーションをとることです。

14 やりたいことだけをやるのではなく、やりたいことを達成するために、積み上げるべきものがあることを知りましょう。

15 常に世界を変えることを考え続け、学び続けましょう。

おわりに

日本は、これから何を目指していくべきか。この問いに対する答えが、本書『知識製造業の新時代』です。私がこの答えにたどり着くことができた背景には、一つの大きなきっかけがありました。それを与えてくれたのが、第七章で大きく取り上げたＫＯＢＡＳＨＩ ＨＯＬＤＩＮＧＳの小橋正次郎さんです。

小橋さんと初めてお会いしたのは２０１７年のことです。当時のリバネスは、浜野製作所との出会いを経て２０１４年に立ち上げたテックプランターが軌道に乗り始めた時期でした。

大学で研究者がつくりだしている知識と技術を発掘し、世界の課題解決に挑戦するベンチャー企業を生み出すこと。そしてそのベンチャー企業のものづくりを町工場が支援するとともに、大企業が「買収する」のではなく「一緒に育てる」ことで社会に実装していくこと。

このコンセプトは「大学発ベンチャーと大企業のタッグによって、日本に新たな産業が生まれつつある」という文脈でメディアにも大いに取り上げられました。

日本が誇る大学の知識と、日本が誇る大企業のテクノロジーの融合によって、世界を変えるビジネスをつくりだしましょう！

当時の私は、企業や大学の講演に呼んでいただくたびに、このメッセージを発信し続けました。そして嬉しいことに、どの会場でも「そうだそうだ」という熱い賛同を受けることができました。

このコンセプトはやはり正しい。これこそが日本の未来を切り拓く道になる。大学発ベンチャーと大企業。そしてリバネス。この三者で日本を変えていくんだ。そんな気持ちで勢いに任せて突き進んでいた私に、思いっきり冷や水を浴びせてくれたのが小橋さんでした。

ある講演の場で知人を介して出会った小橋さんは、「とても刺激的な講演でした」という紳士的な前置きをしつつ、私にこう問いかけたのです。

「大学発ベンチャーはこれからの日本に欠かせません。大企業が活力を取り戻すことももちろん重要です。しかし、日本の企業の99・7％は中小企業です。中小企業について丸さんはどうお考えですか。ベンチャーと大企業だけで、本当に日本は変わるのでしょうか」

私は頭をガツンと殴られたような衝撃を受けました。同時に、浜野製作所に対する申し訳なさも湧き上がってきました。テックプランターは浜野製作所との出会いが起点であるという点は常に言及していましたが、聴衆のウケを意識して、話の力点が大学と大企業に偏っていたことは否めません。そんな私の目を覚ましてくれたのが、小橋さんの言葉でした。

これをきっかけに、私はリバネスのグループCEOとして、改めて日本の地域と中小企業の活性化に本気で取り組んできました。テックプランターを地域に展開するとともに、超異分野学会の地域版である超異分野フォーラムもスタートさせました。

これらの活動を通じて実感したのは、小橋さんの指摘の正しさです。中小企業が復活しなければ、日本が復活することはない。中小企業こそが、日本復活の鍵である。そして、中小企業には、それを成し遂げることができるポテンシャルがある——。

第六章でも書いたように、全国各地で大学、企業、町工場、金融機関などが手を組んでディープテックのエコシステムを形成し、ここに日本のみならず世界中からベンチャー企業が集結するようになれば、日本は知識製造業のグローバルなハブになることができます。それが世界にどれほどのインパクトをもたらすことになるのか、私には想像もつきません。

さて、この本は本当に多くの方々の協力によってここまでたどり着くことができました。何よりもまず、リバネスの概念は共に課題解決に取り組んできたパートナーとのプロジェクトを通じて生みだされたものです。本書の中でその全てを紹介することはできませんでしたが、これまでリバネスの知識製造業に加わっていただいたみなさんには感謝してもしきれません。これからもどうぞよろしくお願いします。

また、この本の著者には私の名前がクレジットされていますが、第七章でも書いたように、リバネスは個のネットワーク組織です。私の考えの全ては、リバネスのみんなとのディスカッションによってつくりだされています。これからも一緒に、面白いことを仕掛け続けていきましょう。

そして、リバネスが20年間にわたって蓄積してきた膨大な概念を見事に編集してくれたのは、リバネスグループの一員として企業ブランディングを手がける株式会社MANNの藏本斉幸さんです。彼との出会いは、2016年の秋までさかのぼります。私がみずほ総合研究所（現・みずほリサーチ&テクノロジーズ）発行のビジネス情報誌『Fole』で「生かせ！ニッポンの理系力」という連載をすることになった際に、編集を担当してくれたのが藏本さんでした。2年間続いたこの連載を一冊にまとめようということでスタートしたのが本書です。

しかし結果的に、本書の内容はFoleでの連載とは全く異なるものになりました。知識製造業の概念をしっかりと伝えるためには、過去の連載をベースに再編集するだけでは不十分だという結論に達したからです。そこから再スタートを切ったのが2020年。これを機により深くリバネスと関わることになった藏本さんは、2021年にリバネスグループ入りし、外側の視点と内側の視点を行き来しながら、リバネスの哲学を粘り強く構造化していってくれました。この3年間、二人で積み重ねてきた議論がこうしてかたちになったことを心から嬉しく思います。

最後に、本書をここまで読んでいただいたみなさん、本当にありがとうございます。しかし、この本はこれで終わりではありません。「はじめに」でも書いたように、みなさんとたどり着いたこの場所が、知識製造業の新時代への入口です。みなさんがそれぞれの持ち場に戻り、それぞれの場所で「事を仕掛ける」ことによって何が起こるのか。それこそが知識製造業の新時代の始まりです。

日本はいまこそ、業種も、分野も、世代も、国境も超えて、世界の課題解決に向けて一つのチームになるときです。本書がそのきっかけになれば、これほど嬉しいことはありません。みなさんと共に新たなプロジェクトを立ち上げる日のことを、私は心から楽しみにしています。

2023年6月13日　丸 幸弘

丸 幸弘（まる・ゆきひろ）

株式会社リバネス代表取締役グループCEO。東京大学大学院農学生命科学研究科応用生命工学専攻博士課程修了、博士（農学）。2002年大学院在学中に理工系大学生・大学院生のみでリバネスを設立。日本初「最先端科学の出前実験教室」をビジネス化。大学・地域に眠る経営資源や技術を組み合わせて新たな知識を生み出す「知識製造業」を営み、「知識プラットフォーム」を通じて200以上のプロジェクトを進行させる。町工場や大手企業等と連携したアジア最大級のベンチャーエコシステムの仕掛け人として、世界各地のディープテックを発掘し、地球規模の社会課題の解決に取り組む。株式会社ユーグレナをはじめとする多数のベンチャー企業の立ち上げにも携わる。主な著書に『世界を変えるビジネスは、たった1人の「熱」から生まれる。』（日本実業出版社）、『ミライを変えるモノづくりベンチャーのはじめ方』（実務教育出版）、『ディープテック 世界の未来を切り拓く「眠れる技術」』（日経BP）など。

知識製造業の新時代

発行日 2023年6月13日　第1刷

著者：丸 幸弘
編集：藏本 斉幸（株式会社MANN）
編集協力：磯貝 里子　長谷川 和宏　松原 尚子

デザイン・装丁：三枝 未央
印刷：株式会社三島印刷

発行者　丸 幸弘
発　行　リバネス出版（株式会社リバネス）
〒162-0822 東京都新宿区下宮比町1-4 飯田橋御幸ビル
電 話　03-5227-4198
URL　https://lne.st

定価はカバーに表示してあります。
乱丁・落丁本はお手数ですが弊社宛てにお送りください。
送料小社負担にてお取り替えいたします。

ISBN 978-4-86662-122-7